Violaine
Vanoyeke

Meilės
tarnaitės

EGIPTE,
GRAIKIJOJE
IR ROMOJE

Violaine
Vanoyeke

Meilės tarnaitės

EGIPTE,
GRAIKIJOJE
IR ROMOJE

Iš prancūzų kalbos vertė
Lina Perkauskytė

VILNIUS 2004

UDK 392(3)
Va266

Violaine VANOYEKE
LES VOLUPTUEUSES DE
L'ÉGYPTE À ROME
Éditions Michel Lafon, 2003

ISBN 9986-16-378-1

„Gėrėkitės šiomis muziką mėgstančiomis kurtizanėmis, kurios taip sumaniai moka užsidirbti pinigų. Jos maivosi ir puikuojasi, pasidabinusios perregimais apdarais, nelyginant šventųjų vandenų nimfos."

ATĖNAJAS, *Filosofų puota*

Mari Fransuazai ir Gi.

Filipui.

EGIPTIETĖ RODOPIDĖ

I

MYLIMASIS IŠ MITILĖNĖS

Ištvirkėlių miestai

Egipto, o šiek tiek vėliau ir Graikijos bei Romos „kurtizanės" stengdavosi rodytis kartu su įžymiais vyrais, kad ir pačios iš- garsėtų. Politikai, rašytojai, dailininkai jas nusamdydavo die- nai, savaitei, mėnesiui, sezonui, metams arba tiesiog vienam vakarui. Gyvenimas buvo neįsivaizduojamas be moterų, puo- tos metu dovanojamų į Egiptą atvykusiam svetimšaliui amba- sadoriui, ar dvaro šokėjomis ir dainininkėmis tapusių karo be- laisvių. Nors kurtizanėmis jas pradėta vadinti tik Romos lai- kais, tai vis tos pačios moterys, kurias graikų skulptoriai kar- tais laikydavo savo mūzomis.

Naukratijoje gyvenusios prostitutės Rodopidės vardą įam- žino Charakso, graikų poetės Sapfo brolio, nežabota meilė. Šis buvo kilęs iš Lesbo (Mitilėnės), įtakingos Viduržemio jū- ros salos, turinčios daugybę kolonijų, kurių pavydėjo Atėnai. Mitilėnė buvo galingas ekonominis, prekybinis, jūrinis ir kari- nis miestas. Daugelis prisibijojo mitilėniečių, kuriuos Atėna- jas apibūdina kaip gašlius, pasipūtusius žmones, mėgstančius prabangą ir pinigus. Kita vertus, buvo manoma, kad jie drąsūs, išdidūs, kupini pasitikėjimo savimi bei entuziazmo ir dėl to puikūs verslininkai. Šie veiklūs ir drąsūs žmonės leisdavosi į nuotykingas keliones ir išsisukdavo iš bet kokios padėties. Mitilėniečiai tiek daug keliaudavo ir taip puikiai įgyvendindavo savo sumanymus, kad išgarsėjo daugelyje šalių. Egiptiečiai juos vadino tuščiagarbiais dykautojais. Mitilėnės gyventojai vertino vyną ir meilę. Jie buvo geri vynų žinovai, nes patys darydavo puikius vynus. Be šių įvairiuose tekstuose minimų savybių, mitilėniečiai taip pat garsėjo poezija ir menu. Iš tiesų juose jungėsi graikų ir azijiečių dorybės bei trūkumai.

Nors Lesbas nebebuvo karalystė, salą valdė turtinga Pentilidų šeima. Charakso brolis Larichas buvo pritanų taurininkas. Kilmingas raitelių luomas dažnai kivirčydavosi su vis turtėjančiais pirkliais ir jūrininkais. Žmonės vis dažniau atsiskaitydavo pinigais. Alijato, Lidijos karaliaus ir garsiojo Kroiso tėvo, išleistos monetos plito visose šalyse.

VI amžiuje pr. Kr. Mitilėnė turėjo labiau nei Sardės ištvirkusio miesto reputaciją. Šventės mieste vykdavo dieną naktį. Mitilėniečiai nuolatos gyveno siaubingame triukšme – skambėjo muzika, aidėjo riksmai, siautulingų šokių ritmu kaukšėjo sandalai. Nepaisant naujų tirono Pitako, kurio Sapfo šeima labai nemėgo, įsakymų, ūžavimai tik dar labiau įsismarkavo. Vis jaunesnės mergaitės, vos subrendusios fleitininkės parsidavinėdavo ir linksmindavo puotų dalyvius. Kai Pitakas nusprendė įvesti tvarką, miestiečiai buvo taip įsiaudrinę, kad sutartinai atsisakė laikytis įsakymų.

Į kurtizanes Mitilėnėje buvo žiūrima gana palankiai. Kai kurios buvo kilusios iš garbingų šeimų ir kiekvieną dieną dėkodavo Afroditei už joms suteiktą grožį bei grakštumą. Be to, jos laikėsi tam tikrų įpročių, kurie, be abejo, buvo nesvetimi ir Rodopidei, – galbūt ją mokė Charaksas. Kiekvieną dieną jos kvėpindavosi odą, siekdamos privilioti meilužius. Ant kojų pildavo Taso nardostachio balzamą ir Egipto kvapiuosius aliejus. Pažastis tepdavo mėtų tepalu, o blakstienas įtrindavo Koso mairūnais. Plaukus smarkiai iškvėpindavo smilkalais. Krūtinę gausiai šlakstydavo Kipro žolelių aliejais. Nuo jų kaklo ir skruostų sklido Fazelijos rožių aromatas. O prieš parsiduodamos už šimtą drachmų, strėnas įtrindavo kvapniaisiais tepalais. Kliento laukdavo pasidabinusios geltonomis sukniomis. Mitilėnėje, kaip ir Naukratijoje, pakeliui sustodavo daug jūrininkų. Kurtizanės viliodavo juos uostuose.

Be geltonų suknių, kurtizanės vilkėdavo baltas linines tunikas, per juosmenį sujuostas sidabriniais diržais. Jos puošdavosi auksinėmis diademomis, apyrankėmis, į plaukus segdavo grandinėles. Diržuose būdavo išgraviruoti žodžiai, kviečiantys klientus pasimėgauti malonumais ir meile, nors jos negalėjo būti ištikimos ir apgaudinėdavo savo meilužius mažiausiai triskart per dieną.

Mitilėnėje kurtizanes saugojo stiprūs trakai, prie jų namų durų prisegdavę gerbėjų dovanotas gėles. Kartais beveik nuogos fleitininkės, išrietusios strėnas, raudonai dažytomis krūtimis, sustodavo aplink lovą, kur kurtizanė ir jos meilužis atsiduodavo malonumui, ir jausmingomis dainomis ragindavo jaunuosius turtuolius dar labiau mėgautis meile. Šios fleitininkės parsidavinėdavo ir vyrams, ir moterims. Be jų neapsieidavo jokia šventė, jokia puota; kartais jas samdydavo mitilėnietės. Vienos fleitininkės mokėjo šokti su skraiste ir falu. Kitos vaidindavo meilės scenas. Jos atlikdavo Rodo dainas, o dvigubomis fleitomis joms pritardavo patyrusios muzikantės, kojas iššsikvėpinusios mira. Puotos šeimininkė pageidaudavo, kad merginos būtų depiliuotos, švarios, kvepiančios nuo galvos iki kojų ir pasirengusios dalyvauti visuose žaidimuose, kokių tik bus reikalaujama. Kai kurios vaidindavo nuostabą keliančias mitologines scenas, tokias kaip jaučio susiporavimas su karaliene Pasifaje, pagimdžiusia Minotaurą. Daugelis jų buvo akrobatės, mokėjo žongliruoti vaisiais ir prieš atsiduodamos meilei rodydavo savo gebėjimus. Šios ištvirkusios ir apsukrios merginos gausiai dažydavosi akis. Jos būdavo mėlynais vokais, trumpais plaukais ir nuoga krūtine. Dažniausiai vienintelis jų apdaras būdavo diržas, nuo kurio karodavo geltoni kaspinai ir juodojo vilkdalgio stiebai; šios vikruolės žongliruodavo lankais, versdavosi kūliais arba išsilenkdavo tiek, kad rankomis liesdavo pėdas, sudarydamos tobulą apskritimą.

Iš neturtingos šeimos kilusios paauglės tapdavo prostitutėmis, norėdamos ištrūkti iš skurdo ir išmaitinti tėvus. Našlaites, kai šioms sukakdavo dvylika metų, parduodavo turguje tarpininkams už vieną ar dvi minas – viena mina buvo lygi šimtui drachmų. Nors visai jaunutės, šios merginos puikiai išmanė savo amatą. Todėl tarpininkams, kurie dažniausiai parduodavo jas moterims, nereikėdavo jų mokyti.

Charaksas ir Sapfo

Nors buvo kilęs iš kilmingos šeimos, Charaksas nemanė, kad pirkti laivus ir prekiauti yra negarbinga. Jis nuvyko į Naukratiją – pusiau graikišką, pusiau egiptietišką miestą, kuriame gyveno daug graikų, atsikėlusių iš salų netoli Azijos. Galbūt Sapfo prikaišiojo broliui tapus prekybininku dėl to, kad pati labai vertino savo kilmę. Pasak jos, Charakso meilės istorija su Doriche, dar vadinama Rodopide, nuplėšė jam garbę. Iš tiesų eilėse Sapfo pabrėžia branginanti aristokratijos vertybes. Ji atidžiai renkasi draugus ir nebendrauja su paprastais pirkliais.

Sapfo – konservatyvi, ji laikosi savo pozicijų ir atsisako pripažinti naująjį brolio Charakso amatą.

Svetimšalę poetę Sapfo graikų filosofai laikė pasileidėle. Bet argi ne tokio paties likimo susilaukė Filėnidė Samietė? Ji irgi buvo vadinama paleistuve, nes kūrė eiles. Nors Sapfo niekada nesilankė Atėnuose, ten jos nemėgo. Ji sukūrė pusiau lidiškąją tonaciją, kuri, pasak gandų, galinti užmigdyti vyrus, palenkianti jų sielą į malonumus ir atimanti visą drąsą bei veiklumą. Buvo primenama, kad Sapfo aistringai garbina Afroditę, ištvirkusią meilės deivę. Poetė tapo kvepalų, svaiginamų aromatų, puotų, kur liejasi vynas, bei orgijų simboliu.

Paradoksalu, kad Sapfo, iš garbingos šeimos kilusi moteris, vadovavusi poezijos mokyklai ir kritikavusi naujuosius politikus, užsitraukė garbingų moterų neapykantą.

Sapfo, garsi poetė, gimusi Lesbo saloje maždaug VII amžiuje pr. Kr., piktaliežuvių kaltinta netgi prostitucija, įspėjo brolį saugotis gobšuolės Rodopidės. Šioji labai mėgo brangias dovanas. Jos įnoriai buvo milžiniški. Kadangi Charaksas ją laikė deive, ji troško įeiti į istoriją visiems laikams. Ją vaizduojančios statulos, apie ją pasakojantys tekstai ar įrašai glostė šios moters savimeilę. Maža to, ji siekė kokiu nors būdu amžiams išlikti žmonių atmintyje.

Charaksas reguliariai susitikinėjo su Rodopide Naukratijoje – mieste, garsėjančiame paleistuvyste. Greitai moteris pradėjo gyventi prabangiai ir rafinuotai, – toks gyvenimas anksčiau jai buvo visiškai svetimas. Daug uostų išmaišęs jūrininkas ir nuotykių ieškotojas Charaksas bendravo su daugybe prekiautojų, kuriems pardavinėjo savo vyną. Jo laivai dažnai sustodavo netoli Naukratijos. Šioje buvusioje graikų samdinių stovykloje, įsikūrusioje netoli Žemutinio Egipto sostinės Saiso, gyvenimas virte virė. Seniau ten gyveno samdyti kariai, turėję saugoti faraoną, ir dirbo daug Mažosios Azijos, ypač Lesbo, prekybininkų. Šis prekybinis miestas priviliojo daugybę prostitučių, ir Naukratija tapo stambiu prostitucijos centru. Apie Rodopidę, „Rožiaveidę", kurios tikrasis vardas buvo Dorichė, sklido legendos. Pasak istoriko Herodoto, jai meilinosi net faraonai. Buvo kalbama, kad Rodopidė turinti tiek meilužių, kiek turtų. Charakso silpnavališkumas smarkiai prisidėjo prie šių legendų sukūrimo. Sapfo aprašė jo elgesį realistinėse eilėse, kurias, be abejo, ketino duoti paskaityti broliui. Maldaudama Kipro ir brolio nevykti pas Rodopidę, ragindama Charaksą būti atsargesnį, Sapfo apgailestauja, kad vyno eksportuotojui maloniau lankytis pas žmones, įgijusius nekokią šlovę, nei pas garbingus ir galinčius duoti gerą patarimą. Kodėl jis atstumia draugus? Kodėl mano, kad Sapfo nieko nesugeba? Ar jis gėdijasi sesers, trokštančios tik vieno – jam padėti?

Sapfo laikė Charaksą pasipūtėliu. Ji priekaištavo jam už skaudžius įžeidinėjimus ir nematė reikalo jo užjausti. Ją piktino nepagrįstas brolio pyktis ir kvailumas. Priešingai nei jis, Sapfo geba skirti draugus nuo priešų ir valdytis. Ji niekada neperžengia tam tikros padorumo ribos. Vienintelis jos rūpestis – įspėti brolį, nes jį myli.

Sapfo eilėse priduria: „Taigi, broli, pagalvok, kas tau naudinga, ir pakeisk nuomonę, nes aš tau jaučiu tik švelnumą ir esu tikra, kad palaimingi dievai mano taip kaip aš".

Nesunku įsivaizduoti, kokių argumentų Charaksas galėjo pasitelkti gindamasis: apie Sapfo meilės istorijas sklandė daugybė gandų. Vėliau, po daugelio metų, Tatianas ir kiti krikščionys ją vadins erotomane, paleistuve, ištvirkusia moterimi. Tačiau ar verta tikėti šmeižtu, kurį dažniausiai platina krikščionių autoriai? Be Bažnyčios tėvų, apkalbas skleidė ir kiti šviesuoliai: Hegesianaksas, dažnai lankęsis Antiocho Didžiojo dvare, neabejojo laisvu Sapfo elgesiu, o Aleksandrinas Limfodoras gynė ją ir teigė, kad gyveno kita Sapfo, kurtizanė, neturinti nieko bendra su poete! Ši įnirtinga diskusija įkvėpė Aleksandriną Didimą parašyti nedidelį veikalą, kurį cituoja filosofas Seneka. Tuo metu berods visas Egiptas domėjosi paslaptingąja Sapfo: ar poetė iš tikrųjų prostitutė, kaip ir jos kritikuojama Dorichė? Atrodo, daugelis ginčo dalyvių palaikė Sapfo, kuri, be abejo, nebūtų kritikavusi Dorichės gyvenimo būdo, jei pati būtų buvusi prostitutė. O gal Sapfo tiesiog siekė apsaugoti brolio ir šeimos turtą.

Azijos moterys

Menininkai dažniausiai nebuvo laikomi padoriais žmonėmis. Išsilavinusios moterys, muzikantės, šokėjos ir poetės garsėjo kaip laisvo elgesio moterys, subūrusios aplink save prostitučių būrelius, – ypač tos, kurios buvo kilusios iš Azijos.

Atėniečiai tuo kaltino ir Periklio žmoną, garsiąją Aspasiją Miletietę, nes ji buvo iš Azijos ir kartais savo vyrui rašydavo kalbas. Vieni ją vadino paleistuve, kiti teigė, kad Aspasija Atėnuose įkūrusi meilės ir retorikos mokyklą. Autoriai pabrėždavo, kad ji gyvena negarbingai, kadangi moko merginas nekokią šlovę turinčios filosofijos ir geidulingumo. Didžiausi priešininkai netgi teigė, kad siekdama suvilioti Periklį Aspasija pavergė Sokratą ir Alkibiadą, nevengusius labai įtartinų meilės malonumų. Alkibiado reputacija buvo beveik tokia pat prasta kaip ir Aspasijos.

Nedaug atėniečių atleido Aspasijai už tai, kad ši prikalbino Periklį atsižadėti savo buvusios žmonos ir vesti ją. Jis turėjo du sūnus, o vaikai, kurių jis susilaukė su Aspasija, negalėjo tapti piliečiais, nes Periklis pats buvo išleidęs įsakymą, draudžiantį graiko ir svetimšalės vaikams naudotis šia teise. Aspasijai buvo suteikiami vardai, pranokstantys bet kokią išmonę. Komedijose ji vaizduojama kaip Dejaneira, Omfalė, Junona – pavojingos ir aistringos moterys.

Kaip ir Dorichė, Aspasija tapo tokia įžymi, kad Kyras jos vardu pavadino vieną iš savo sugulovių. Buvo kalbama, kad jei ne Aspasija, Periklis nebūtų paskelbęs karo megariečiams. Koks skandalas kilo, kai į karo kampaniją kartu su vyru, su kuriuo nebesiskirdavo, išvyko ir ji! Sklido kalbos, kad apsuptame Same buvo tiek daug heterų, o jų žavesys buvo toks didelis, kad vyrai mieste užtruko ilgiau, nei buvo būtina. Praturtėjusios moterys, kurios buvo vadinamos Aspasijos seserimis, pastatydino šventyklą Venerai, taip atsidėkodamos meilės deivei.

Garbingos graikų moterys neapkentė Aspasijos už jos grožį, protą ir įtaką. Jos paskleidė gandą, kad ši moteris pavojinga. Komiškas eiles kūręs Hermiponsas apkaltino ją religingumo stoka. Ir pridūrė: ji – tik viešnamio savininkė, Perikliui siunčianti patrauklias moteris. Tai buvo iškiliausio Graikijos piliečio įžeidimas.

Nepaisydamas blogos Aspasijos reputacijos, Periklis niekada jos nepaliko ir gynė ją visuose susirinkimuose. Areopage jis pasakė žmonos dorybes išaukštinančią kalbą. Į priekaištus, kad paliko pirmąją žmoną ir atidavė ją kitam vyrui, Periklis atsakydavo, kad jo jausmus valdė meilė ir kad dabar jo buvusi žmona laimingesnė. Argi ši nebuvo jau ištekėjusi, kai jiedu susitiko? Argi ji neturėjo sūnaus nuo kito vyro? Ji niekada jam nepatikusi. Todėl maždaug 449 metais pr. Kr. jį pavergė žavingoji Aspasija, kurią jis sveikindavo kiekvieną kartą, šiai įeinant į namus ar iš jų išeinant.

Ar Aspasija iš tikrųjų buvo prostitutė? Žinant, kaip Periklis brangino moralę, peršasi mintis, jog tai neįmanoma. Iš tiesų Periklio gyvenimas smarkiai skyrėsi nuo Charakso. Bet Aspasijos išsilavinimas kelia įtarimą, kad ji tikrai buvo hetera. Plutarchą pribloškė jos žavesys: jis teigė, kad reikia neprilygstamų galių, norint užkariauti iškiliausią savo laikų politiką ir priversti filosofą žerti tokius pompastiškus pagyrimus.

Aspasija taip sklandžiai dėstė mintis, kad, kaip pasakoja Platonas *Meneksene*, atėniečiai rinkdavosi pas ją mokytis iškalbos. „Mane moko puikiai iškalbos meną išmananti moteris, paruošusi daug puikių oratorių, tarp jų ir geriausią Graikijos oratorių Periklį“, – pareiškia Sokratas ir priduria girdėjęs ją, sakančią viešą kalbą ir talentingai improvizuojančią. Pats Aischinas jos garbei sukurs *Aspasiją*.

Periklis siekė užtikrinti Aspasijos ateitį. Jeigu jis mirtų, ji turėtų ištekėti už Lisiklio, sutikusio ją globoti.

II

AMBICINGOJI RODOPIDĖ

Dorichės iešmai

Iš netoli Azijos esančių graikų salų kilusias moteris atėniečiai laikė pasileidėlėmis. Anot jų, šių moterų gyvenimas buvo kupinas prabangos ir malonumų, jos mėgo puotauti, dykinėti bei linksminti svetimšalius.

Tikra tiesa, kad daugelis gražių ir rafinuotų kurtizanių, mokančių groti fleita ar tambūrinu, buvo kilusios iš šių salų. Kai kurie religingesni graikai netgi manė esant jas pavojingas. Dažniausiai į gimtąjį kraštą tokią žmoną parsiveždavo pirkliai ar menininkai. Rašytojai garsiai piktinosi, įsitikinę, kad svetimšalės kelia grėsmę palikuonims. Kiti teigė, kad jos turi aiškiaregystės dovaną, yra raganos ir apžavi vyrus.

Egipte Dorichė neišvengė tokių kaltinimų. Graikų nuomone, egiptietės buvo dar pavojingesnės nei iš salų kilusios moterys. Net Lesbo gyventojai baiminosi jų kerų. Jų reikėjo dar labiau saugotis nei kipriečių, garbinančių meilės deivę. O Dorichė buvo įvaldžiusi ir graikų, ir egiptiečių žavėjimo būdus.

Dorichė turėjo gausybę meilužių ir mielai primindavo Charaksui, kad jo sesuo Sapfo jų turi ne ką mažiau. Dorichė pozavo dailininkui Zeuksidui, ją daugelyje garsių kūrinių liaupsino rašytojas Lukianas Samosatietis. Ji troško, kad ja žavėtųsi už kokį nors įsimintiną poelgį. Kodėl gi Charaksas nesugalvoja nieko, kas būtų jos verta? Kai kurtizanės pritrūkdavo idėjų, ką nors pasiūlydavo jų mylimieji. Tokių pavyzdžių netrūksta.

Pavyzdžiui, po kelerių metų kurtizanė Katina pareikalavo, kad jos statula stovėtų Atėnės, dorovingumo deivės, šventykloje! Jos vardu buvo pavadintas vienas Spartos viešnamis, visi žinojo, koks jos amatas. Aleksandro bendražygis Harpalas Pitonikei, Atėnuose ir Korinte pagarsėjusiai prostitutei, iš Atėnų į Eleusiną vedančiame Šventajame kelyje pastatydino antkapį, šventyklą ir altorių.

Tačiau Dorichės laikais kurtizanių statulos ir paminklai buvo įprastas dalykas. Todėl moteris pasiūlė Charaksui pagarbinti Delfų Apoloną. Daug keliauninkų vykdavo į Delfus užduoti klausimų Pitijai, tarpininkei tarp dievo Apolono ir žmonių, aiškinusiai jo atsakymus. Karaliai per orakulą dažnai klausinėdavo Apoloną, ar laimės karą, ar ilgai dar valdys ir t. t. Miestai siųsdavo Delfams didžiausius turtus. Todėl Dorichė nusprendė, kad pasielgs sumaniai toje šventoje ir gausiai lankomoje vietoje padėjusi didžiulius, neapsakomai brangius iešmus.

Kai kurtizanei kilo šis sumanymas, ji jau buvo iššvaisčiusi nemažai Charakso turtų, todėl Sapfo vėl puolė atkalbinėti brolį. Bet Rodopidė sugebėjo įtikinti Charaksą, ir šis greitai nusileido meilužės norams. Jis nupirko iešmus. Vėliau buvo kalbama, kad juos nupirko pati Dorichė, sumokėjusi dešimtąją dalį savo pajamų. Šis simbolinis gestas, – nes graikų miestai dievams atiduodavo dešimtąją savo turtų dalį, – buvo plačiai aptarinėjamas. Dorichės reikalavimai buvo labai konkretūs: ji pageidavo, kad nupirkti iešmai būtų padėti Apolono šventykloje, stovinčioje į stadioną vedančiame kelyje. Tačiau greičiausiai moteris buvo dar ambicingesnė. Buvo kalbama, kad ji ketino restauruoti Mikerino piramidę. Taip pat sklido gandai, kad Charaksas jau beveik visai nusigyvenęs. Kad ir kaip ten buvo, Sapfo brolis liko patenkintas.

Su Apolonu buvo susiję daug beprotiškų poelgių. Iš meilės kurtizanėms įtakingi vyrai plėšdavo šventyklas ar vogdavo šventus daiktus. Delfų lobynas neteko sidabrinės vazos ir auksinės karūnos, nes iš Fokidės kilęs tironas Failas norėjo juos padovanoti kurtizanei Bromiadei. Iš Knido lobyno irgi dingo aukso karūna: ją karys Filomelas įteikė šokėjai Farsalidei. Tačiau už tokius poelgius būdavo baudžiama. Farsalidė buvo viešai nulinčiuota spektaklio metu už tai, kad paskatino Filomelą šventvagystei.

Netgi dorovingoji deivė Atėnė neišvengė karaliaus Demetrijo Poliorketo savivalės: šis, kaip pasakoja poetas Filipidis, IV amžiuje pr. Kr. deivės šventyklą pavertė viešnamiu! Tas pats Demetrijas nesivaržydamas plėšė šventyklas, nors tuo pat metu jo įsakymu buvo statomos šventovės jo kurtizanių garbei. Jis netgi liepė graikams garbinti šias prostitutes. Užėmęs Atėnus, karalius įvedė mokestį, padengdavusį jo kurtizanių išlaidas kosmetikai. Mokestis prilygo sumai, už kurią buvo galima nupirkti penkis šimtus geriausių vergų.

Legendų herojė

Dorichė – tipiška kurtizanė, kokių buvo nemažai. Kuo labiau smuko žmonių moralė, tuo daugiau radosi aukščiausios klasės prostitučių. Moralinio nuosmukio priežastys įvairiose šalyse dažniausiai tos pačios: karai, ligos, badas turėdavo įtakos papročiams. Taip atsitiko Graikijoje IV amžiuje pr. Kr., kai siautėjo maras, nusinešęs Periklio gyvybę. Mirė tiek daug žmonių ir tiek vargšų praturtėjo, – pasakoja Tukididas antroje *Peloponeso karo istorijos* knygoje, – kad žmonės puolė mėgautis malonumais kaip niekada anksčiau. Graikai troško nedelsdami džiaugtis gyvenimu, nes bijojo, jog bet kurią dieną gali mirti.

Tuo metu daugelis graikų turėjo ir sugyventinę, ir teisėtą žmoną. Sokratas gyveno su Ksantipe, savo žmona, ir Myrto, – ištuštėjusioje Graikijoje dėl dvipatystės vėl daugėjo gyventojų. Veikale *Erotika* Plutarchas ragino tautiečius įsigyti neteisėtą žmoną, ypač jei teisėtoji bjauraus būdo.

Iš Rytų kilusios moterys, azijietės ar egiptietės kaip Dorichė, padarė milžinišką įtaką visai Graikijai. Helenizmo laikotarpiu jų pasaulėžiūra plito visose Viduržemio jūros pakrantėse. Visi linksminosi ir dykinėjo. Žmonės leisdavo dienas žiūrėdami spektaklius ar puotaudami.

Kurtizanės iš meilužių reikalaudavo vis daugiau dėmesio ir švelnumo. Jos troško būti mylimos kaip teisėtos žmonos ir sužadėtinės. Dovanėlių, dėmesio ženklų, prabangių dovanų vis daugėjo. Apie tai labai aiškiai kalbama *Kurtizanių pašnekesiuose*. Visi aleksandrinu rašę poetai pasakoja apie jaunus, atsidavusius, nepatyrusius, kartais kvailokus įsimylėjėlius, dievinančius subrendusias ir patyrusias moteris. Kurtizanė tapo Menandro komedijų karaliene.

Tačiau Dorichės laikais Graikijoje to dar nebuvo. Graikams rūpėjo jų tautos moralė. Kai kurie manė, jog prostitutės vertos ne ką daugiau pagarbos nei paprastas daiktas. Kas tuo metu galėjo įsivaizduoti, kad po kelių amžių Dorichė taps pasakų ir legendų heroje? Tai žinodama, ji būtų buvusi be galo laiminga.

Norint suprasti, kaip iš gobšios ir niekinamos kurtizanės ji tapo legendine moterimi, reikia žinoti, kad nuo IV amžiaus pr. Kr. žmonių požiūris ėmė keistis. Kurtizanės pamažu rado savo vietą visuomenėje. Pagaliau jos tapo mylimos, jomis buvo žavimasi, joms rodomas dėmesys. Šios moterys buvo jau ne daiktai ar vergės, bet reiklios meilužės. Rašytojai apdainuodavo meilę, aistrą, įsimylėjėlių varžymąsi. Antikos autoriai labiau pamėgo meilės istorijas, o ne mitus, kurie tiek amžių buvo pasakojami. Pjesėse vaizduojamos kurtizanės buvo dosnios. Menandro Glikera pasižymėjo visomis dorybėmis.

Atėjo metas Rodopidę paversti heroje. Buvo pasakojama, kad ji dažnai maudydavosi Nilo upėje. Vieną dieną erelis pavogė jos sandalą ir nunešė į Memfį Egipto karaliui, kuris buvo dar ir teisėjas. Šis išsyk užsigeidė susipažinti su moterimi, avėjusia tą sandalą. Taip Rodopidė tapo karaliaus žmona. Ši legenda gyvavo tuo metu, kai politikai, karvedžiai ir menininkai rodydavosi viešumoje su kurtizanėmis, kurių vis daugėjo.

Aleksandro Didžiojo laikais persų karaliai visur juos lydinčiuose haremuose turėjo šimtus prostitučių. Ir patį Aleksandrą dažnai lydėdavo daug kurtizanių. Lamija, Lėėna, Antikira, „Pašėlusioji" Chrisidė, Marija mokėjo patenkinti nepasotinamąjį Demetriją Poliorketą.

Naukratija, prastos šlovės miestas

Dorichė gyveno prastai pagarsėjusiame mieste, kuris ilgainiui įgis tokią reputaciją, kokią III amžiuje turėjo Aleksandrija. Graikai, romėnai ir rytiečiai Naukratiją laikė visų malonumų miestu. Kanopas irgi buvo vadinamas viešnamių miestu. Aleksandrijos dvare buvo galima sutikti iškiliausius mokslininkus, kuriems Ptolemajai sukūrė geriausias darbo sąlygas, kultūra čia užėmė išskirtinę vietą, tačiau šio miesto gyventojų pramogos peržengdavo visas ribas.

Diodoras Sicilietis, kaip ir kiti autoriai, užsimena, jog III amžiuje Aleksandrija buvo pats turtingiausias ir labiausiai ištvirkęs miestas. Iš tikrųjų blogiausia reputacija mieste garsėjo Rakočio kvartalas. Basilėjos kvartale, dar vadinamame Bruchionu, dirbo aukščiausios klasės prostitutės. Kiekvieną vakarą kanaluose vykdavo puotos ir orgijos, – visai kaip Kanope, kur užeigos buvo pastatytos prie pat vandens. Romėnų poetas Propercijus Kanopą pavadins „prostitute". Šiame mieste, kur paleistuvystė klestėjo kaip Naukratijoje, knibždėjo šokėjų, fleitininkių ir sumoteriškėjusių jaunikaičių.

Atsibodus įprastiems žaidimams, Aleksandrijos gyventojai sugalvodavo šokių, naujų pasilinksminimo būdų, nepadorių pramogų. Per tris amžius šios pramogos darėsi vis išradingesnės. Suteneriai kaip reikiant praturtėjo. Šokėjos vaidindavo nuostabą keliančius spektaklius, pritardamos lėkštelėmis, liutniomis ir kastanjetėmis, kuriomis pačios mokydavosi groti. Tačiau puotos greitai virto orgijomis. Žmonėms nebepakakdavo samdyti kurtizanes. Be jų, būdavo kviečiami ir parsidavinėjantys vyrai, šokėjai bei akrobatai, kurie, sekdami egiptiečių pavyzdžiu, prigalvodavo įvairiausių iškrypėliškų dalykų.

Naukratijoje, kuri iš kaimo virto prastai pagarsėjusiu miestu, atsirado ypatinga prostitucijos forma. Vyrai ėmė samdyti ne prostitutes kaip Dorichės laikais, bet subjaurotus žmones, garsėjusius pasileidimu. Kurtizanes pakeitė neūžaugos, išstypėliai, kupriai ir luošiai.

Apie šiuos žmones liudija išlikusios statulėlės. Rafinuota meilė ir prabanga užleido vietą iškrypimams. Trūkumai ir ydos kaitino persisotinusių Aleksandrijos gyventojų jausmus. Miestas garsėjo jau vien tik paleistuvyste. Netgi užeigas pavadindavo prostitučių vardais. Kai Dorichė tapo legendų personažu, galbūt ir jos vardas, kaip ir kitų kurtizanių, buvo išgraviruotas ant kokio viešnamio durų.

Tiesą sakant, Egipto kurtizanės prisidėjo prie iškrypėliškos meilės atsiradimo: jos buvo labai garbinamos ir skatino žmones be perstojo vaikytis malonumų.

Gyvendamas Egipte su Kleopatra, romėnas Markas Antonijus lankydavosi smuklėse. Netgi sklido kalbos, kad Kleopatra parsidavinėjo. 41–40 metų pr. Kr. žiemą įsimylėjėliai nevaržomai mėgavosi malonumais, – apie jų gyvenimą po daugelio metų pasakos dailininkai ir poetai. Pakerėtas rytietiškų malonumų, mielai puolantis į glėbį egiptietėms šokėjoms, Markas Antonijus greitai ėmė dėvėti graikišką apsiaustą ir baltus koturnus, lankė gimnasiją ir klausė filosofijos paskaitų. Jis labai mėgo žvejybą ir medžioklę, bet labiausiai – naktines linksmybes. Kleopatra rūmuose keldavo orgijas, panašias į tas, kuriomis ji kadaise siekė suvilioti Marką Antonijų. Norėdama jį užkariauti, valdovė neskaičiavo išlaidų. Kupidonai, vėduojantys karalienę stručio plunksnomis, auksiniai baldakimai, smilkalai, purpurinės užuolaidos, auksiniai indai, gėlių žiedlapiais nubarstytos grindys, brangios dovanos, – buvo padaryta viskas, kad Antonijus neatsispirtų egiptietiškam žavesiui.

Linksmybes pamėgusį Antonijų Kleopatra supažindino su Neprilygstamaisiais – dykaujančiais graikais, kurie dieną naktį vaikėsi malonumų ir be perstojo linksminosi. Po ilgo jodinėjimo ar kumštynių, fechtavimo arba plaukimo varžybų Markas Antonijus mėgdavo atsipalaiduoti jų draugijoje, kur lankydavosi ir kurtizanės. Įpratusi manipuliuoti įtakingais žmonėmis, Kleopatra irgi neišvengė pašaipų bei apkalbų. Tačiau nors Egipto karalienė gerai pažinojo aplinką, kurioje būdavo atsiduodama geiduliams, nors pati rengdavo puotas, kuriose Antonijus galėdavo mėgautis visais įmanomais malonumais, ji niekada nesilankė viešnamiuose, kaip, anot kalbų, tai vėliau darys Mesalina, romėnų imperatoriaus Klaudijaus žmona. Šioms valdingoms ir gundančioms moterims nuolatos stengdavosi pakenkti jų pražūties trokštantys patarėjai.

Galbūt Antonijus vieną iš savo pergalių nusprendė švęsti ne Romoje, o Aleksandrijoje kaip tik todėl, kad ten buvo sutiktas kaip karalius, galintis turėti viską, ko užsigeis, ten jis buvo garbinamas tarsi dievas. Sėdėdamas auksiniame soste, jis stebėdavo vežimų lenktynes hipodrome. Galų gale jis su Kleopatra, apsirengusia kaip Izidė, buvo sudievinti. Armėnišką tiarą užsidėjęs Antonijus buvo pavaizduotas Aleksandrijoje nukaldintose auksinėse monetose. Jų vaikai tapo Armėnijos, Partijos, Sicilijos, Kirenaikos, Libijos ir Sirijos valdovais. Tačiau nors Antonijus iš tikrųjų save laikė karaliumi, valdančiu kartu su savo naująja Izide, Romos senatas taip nemanė. Romėnai išgirdo, kuo jis užsiima, gyvendamas su Egipto karaliene. Geiduliai, malonumai, orgijos, – šie žodžiai skambėjo romėnų šauklių lūpose. Jie minėdavo ir Neprilygstamųjų būrelį. Antonijus save laiko Rytų karaliumi, nors šis kraštas priklauso Romai, ir jis turi vykdyti tik Senato įsakymus. Ir kodėl jis gyvena Aleksandrijoje? Tik tam, kad galėtų mėgautis malonumais?

Romėnai Antonijų vadindavo „vyno prisisiurbusiu pasileidėliu“, kurį jo meilužė baigia išvesti iš kelio. Jam priminė, kokią nelaimę Kleopatra užtraukusi Cezariui, kai šis su ja susidėjo. Kleopatra – paprasčiausia prostitutė, skatinusi jį pasiduoti visoms įmanomoms ydoms. Nebepakeldami gėdos dėl savo vado, senatoriai įpareigojo Oktavijų atsikratyti žmogumi, žeminusiu Romos kariuomenę.

Bet Antonijui nerūpėjo, kas vyksta Romoje. Jis mėgavosi gyvenimu Aleksandrijos rūmuose su mozaikomis puoštomis lubomis, paauksuotomis sijomis, marmuro kolonomis, rams-

tančiomis agato ir porfyro sienas. Jis vaikščiojo onikso ir ale-
bastro grindimis, varstė smaragdais ir Indijos vėžlių šarvais
išdabintas duris, sėdėjo ant brangakmeniais nusagstytų kėdžių
ir gėrė iš auksinių taurių. Užsidėjęs lauro lapų vainiką, Anto-
nijus kiauras naktis girtaudavo prie juodmedžio ar dramblio
kaulo stalo, puošto jaspiu ar karneoliu, gulėdamas ant šilkinių
patiesalų, o jam patarnaudavo nuogos merginos. Jo santuoka
su liūdnąja Oktavija baigta! Kleopatra jam duodavo tiek pini-
gų, kiek tik jam reikėdavo.

Tokie pat malonumai užkariavo Naukratiją, įeisiančią į is-
toriją kaip miestas, kuriame klestėjo prostitucija ir paleistu-
vystė.

III

EGIPTO PAPROČIAI

Smuklės

Egiptiečiai tikrai neskatino savo sūnų lankytis viešnamiuose. Ten jie visiškai apsileisdavo, be perstojo gerdavo ir tapdavo neverti savo tėvų. Rašytojai juos lygindavo su sulūžusia laivo vairalazde, šventykla be dievų, namais be maisto atsargų. Apkvaitę nuo vyno, jaunuoliai tapdavo pavojingi. Dieną mokytojai juos mokydavo muzikos ir poezijos, bet, užuot groję obojumi, fleita arba arfa, jie smuklėse bendraudavo su prostitutėmis ir mėgaudavosi malonumais. Gausiai išsikvėpinę, apsikarstę gėlių girliandomis, moterų draugijoje jie kiaurą naktį ūžaudavo iki nukritimo.

Senovės raštininkai, tokie kaip Ani, įspėja egiptiečius. Jų tvirtinimu, alus priverčia girtuoklius sakyti ne tai, ką jie galvoja. Išgėrę per daug, jie nebeatpažįsta pašnekovų. Jie svyruojantys parvedami namo. Niekas jiems nepadeda. Jie išmetami iš smuklių, lydimi keiksmų.

Prostitutės tokiose vietose lankėsi jau Naujosios karalystės laikais. Dažniausiai jos būdavo dainininkės ir šokėjos. Jas būdavo galima atpažinti iš tatuiruočių ant užpakalio ir šlaunų.

Turino muziejuje yra papirusas, kuriame smulkiai aprašytos „paslaugos", teikiamos viešnamių klientams.

Vis dėlto požiūris į prostitutes Egipte buvo toks neigiamas, kad moterys šiuo amatu dažnai vertėsi paslapčiomis. Kai kurios priiminėdavo klientus savo namuose, jeigu šie pasižadėdavo apie tai niekam nepasakoti.

Tai, kad Rodopidė parsidavinėjo smuklėje, buvo labai smerktinas dalykas, nes Egipte jokia garbinga moteris neturėjo įžengti į užeigą, kaip ir kitose Rytų šalyse. Hamurapio nuomonė šiuo klausimu buvo labai aiški, o jo įstatymų kodeksas – neginčytinas. Vis dėlto visi naudojosi kurtizanių paslaugomis, pirmiausia princai ir karaliai, o egiptietės taip gerai išmanė meilės meną, kad garsas apie jas sklido visuose Artimuosiuose Rytuose. Ramezidų laikais prostitutės buvo labai vertinamos. Tai patvirtina įvairūs dokumentai, tokie kaip tekstai apie teismo procesą, įvykusį Ramzio III valdymo metu. Valdant šiam faraonui, karališkajame hareme buvo surengtas sąmokslas. Kaltininkai buvo nuteisti. Kai kurie iš jų buvo apkaltinti pavertę nuosavus namus smuklėmis ir ten priiminėjantys prostitutes.

Rodopidė šiuo amatu užsiiminėjo ne savo gimtojoje šalyje. Tačiau klientų ji turėjo ne ką mažiau nei egiptietės. Raštininkai egiptiečiams patardavo nepasitikėti užsienietėmis. Naukratijoje apsigyvenusios užsienietės prostitutės atrodė įtartinos. Iš tiesų senuosiuose raštuose, kurie buvo žinomi egiptiečiams, sakoma, kad reikia nepasitikėti šiomis moterimis, nes jų charakteris menkai žinomas. Tuose pačiuose raštuose egiptiečiams siūloma vesti savo kraštietes. Išmintingasis Ptahotepas tvirtino, kad apskritai nuo moterų reikia laikytis kuo toliau, nesileisti užvaldomam kūno geidulių ir vesti jaunystėje. Tačiau visuose uostuose, kur moterys viliojo turtingus prekybininkus, buvo daug pagundų. Skirtumas tarp išmintingų egiptiečių įspėjimų ir jų kraštiečių elgesio kai kuriuose miestuose – akivaizdus.

Egiptietė Rodopidė

Nors Rodopidė gimė ne Egipte, ji perėmė šios šalies papročius. Kaip dauguma Egipto prostitučių, Rodopidė turėjo garbinti deivę Hatorą, kurią graikai sutapatino su Afrodite, meilės deive. Egipte Hatora buvo garbinama įvairių švenčių metu. Kitos deivės, kaip Izidė ar Sechmeta, globojo moteris, gimimą ir gimdymą. Tačiau į Hatorą daugiausia buvo kreipiamasi dėl meilės ir aistros.

Išminčių įspėjimai nesumažino pagarbos moterims. Nuo pat pasaulio sukūrimo Egipto mitologijoje moteris ar deivė buvo laikoma lygi vyrui. Šis dažnai turėdavo porą. Pavyzdžiui, šalia Šu, šviesos dievo, buvo minima Tefnut, drėgmės deivė, Izidė buvo siejama su Oziriu, žemės dievas Gebas – su dangaus deive Nut. Rodopidės garbę teršė tik socialinė padėtis ir lankymasis viešnamiuose.

Faraonai daugybėje savo rūmų Memfyje ir Tėbuose turėdavo keletą haremų, o paprasti egiptiečiai dažnai teturėdavo vieną žmoną, kuriai būdavo ištikimi. Į svetimoteriavimą Egipte buvo žiūrima neigiamai.

Egiptietės visais laikais rūpinosi savo išvaizda. Rodopidė nebuvo išimtis, tuo labiau kad ji žinojo ir keletą graikių naudojamų priemonių. Naukratijoje nebuvo stambių ir apkūnių kurtizanių. Lieknos, nedidelėmis stangriomis krūtimis, siaurais klubais, – jos galėjo būti dailininkų ir skulptorių modeliai. Jų oda buvo gana šviesi, kaip daugelio aukštuomenės moterų, tuo tarpu laukuose dirbantys egiptiečiai, žinoma, buvo įdegę. Kurtizanės naudojo priemones, apsaugančias nuo saulės spindulių ir padedančias išlaikyti šviesią veido odą.

Prostitutės rūpinosi ir šukuosena arba perukais, kurie keitėsi priklausomai nuo mados. Rodopidės plaukai galėjo būti garbanoti arba supinti į kasas. Jos perukai būdavo tai trumpi ir vešlūs, tai ilgesni. Bet kaip ir visos prostitutės, kartais ji būdavo palaidais plaukais. Vis dėlto ilgainiui Rodopidė ėmė mūvėti įmantrius perukus, kaip ir visos aristokratės. Ji išdabindavo juos lotoso žiedų pynėmis ar papuošalais. Iš pradžių dėvėjusi paprastą prigludusią tuniką, netrukus ji ėmė rengtis originalesnėmis ir prašmatnesnėmis klostytomis lininėmis sukniomis. Jos papuošalai, niekuo neišsiskiriantys tuo metu, kai sutiko Charaksą, darėsi vis prabangesni. Ją traukte traukė vėriniai, platūs antkrūtiniai, apyrankės ant rankų ir kojų, auksiniai plaukų raiščiai, auskarai. Todėl Charaksas ją apipildavo tokiomis dovanomis.

Be abejo, Rodopidė mėgo gausiai šlakstytis kvepalais ir įtrinti kūną nepaprastai brangiais kvapniaisiais tepalais. Visos prostitutės naudojo kvepalus vyrams žavėti. Bet kai kurie reti aliejai buvo prieinami tik aukštuomenės damoms, į kurias panėšėti norėjo Rodopidė. Kai tik galėjo tai sau leisti, ji irgi ėmė avėti auksinius sandalus ir mėgdžioti turtingiausių Egipto moterų elgesį. Gausiai išsidažiusi, pieštuku apvedusi akis iki pat smilkinių, žaliais šešėliais užtepusi vokus, ryškiai raudonomis lūpomis, – ji neprarado pasitikėjimo savimi, būdingo uostų prostitutėms. Su pernelyg prigludusia ar permatoma tunika, pernelyg gilia iškirpte ar apnuoginta krūtine, juosmenį susiveržusi spalvotu diržu, o kulkšnis papuošusi plona auksine grandinėle, Dorichė traukė visų žvilgsnius. Kartais ji šokdavo ir dainuodavo pokyliuose ar smuklėse. Tačiau Charaksą suvilioti ji turėjo ir savo kalbomis. Juk sumanios ir naudos siekiančios kurtizanės dažnai būdavo išsilavinusios. Galėdamos laisvai keliauti ir lydėti įžymius žmones, jos diskutuodavo temomis, apie kurias dauguma egiptiečių moterų neturėjo jokio supratimo. Kurtizanių laisvė egiptiečius piktino ne taip kaip romėnes, visiškai priklausančias nuo tėvo valios. Priešingai nei kitos antikos moterys, egiptietės iš tiesų galėjo pačios pasirinkti vyrą, tik su sąlyga, kad šis patiktų ir jos tėvui. Apie šią reliatyvią laisvę liudija graikų rašytojai, tokie kaip Sofoklis ar Euripidas, V amžiuje pr. Kr. papasakoję, kaip egiptietė tvarko namų reikalus, o jos vyras pramogauja.

Namuose moteris turėjo tokią valdžią, kad Ptolemajas Filopatoras nusprendė priminti, jog vyras lygus žmonai ir šiajai nedera piktnaudžiauti savo teisėmis. Vis dėlto egiptietės neturėjo teisės būti neištikimos, – už tai grėsė mirties bausmė. Bet jos galėjo tvarkyti reikalus, pasirašinėti sutartis ir įsigyti nekilnojamojo turto.

Nelabai puritoniška tikrovė

Rodopidė greičiausiai buvo išauklėta kaip dauguma graikių. Sulaukusi paauglystės, ji, be abejo, gavo turkio pakabutį, turintį nuvyti piktąsias dvasias. Su šiuo talismanu egiptietės niekada nesiskirdavo. Mediniai ar moliniai gyvūnai ant ratukų, medinės lėlės, įvairiausi žvėrys turbūt buvo pagrindiniai jos žaislai. Ar ji bendraudavo su vienaamžiais? Ar žaisdavo kartu su jais? Be abejonės, ji užsiiminėjo gimnastika ir lavino vikrumą, kad galėtų dalyvauti dievams skirtuose ritualuose bei šventėse. Mankštindamosi mergaitės tapdavo labai lanksčios ir lengviau išmokdavo šokti.

Egiptietės, su kuriomis bendravo Rodopidė, buvo beveik taip pat auklėtos. Galbūt kai kurios nuo ketverių metų pradėjo lankyti mokyklą. Ten jos iš pradžių išmoko pažinti egiptietiškus hieroglifus ir kursyvinį raštą, paskui skaityti. Perpratusios matematikos pradmenis, egiptietės galėjo mokytis rašyti. Pirmaisiais studijų metais tėvai už pamokas mokėdavo tik duona ir alumi. Jeigu egiptietė norėdavo tobulinti kokio nors dalyko žinias, mokytojo pamokos kainuodavo daugiau. Vėliau moteris galėdavo dirbti tą patį darbą kaip ir vyrai. Yra žinoma, kad IV dinastijos laikais buvo moterų gydytojų, o VI – moterų patarėjų ir teisėjų. Bet jau ir pirmųjų dinastijų laikais buvo žindyvių, akušerių, audyklų vadovių, ekonomių, dažniausiai dirbusių faraonų rūmuose, raštininkių, iždininkių, verslininkių ir labai daug valdininkių.

Ko galėjo tikėtis užsienietės ar egiptietės Naukratijos prostitutės, net jeigu jos ir turėjo minimalų išsilavinimą? Dauguma jų greičiausiai buvo vergės ar atleistinės, kurioms gailestingas šeimininkas suteikė laisvę. Vis dėlto visos jos siekė iškilti visuomenėje ir sužibėti dar labiau nei tos retos moterys, kurios sugebėjo dirbti tokį pat darbą kaip ir vyrai.

Rodopidei tikrai teko turėti reikalų su ekonomėmis, rengusiomis pokylius, kur ji pasirodydavo kaip muzikantė ar šokėja. Kaip ir dauguma moterų, ji mokėjo verpti, austi ir ruošti tepalus. Tačiau savo žinias ji įgijo pati – klausydama, stebėdama ir lydėdama Charaksą.

Be abejonės, Rodopidė buvo neapsakomai laiminga, galėdama už Charakso pinigus mėgautis masažu, patyrusios kirpėjos ar manikiūrininkės paslaugomis. Ją smerkusiems galėjo atšauti, kad viešnamiai vakariniame Tėbų krante buvo perpildyti jau Tutmozių ir Amenofių laikais.

Yra dokumentų, iš kurių matyti, kad valdant Setnachtei (XX dinastija) Aukštutiniame Egipte žmonės buvo gana pasileidę.

Deir al Medinoje, karalių kapus stačiusių darbininkų kaime-
lyje Tėbų vakaruose, buvo rasti ostrakai – įrašai apie ten gyve-
nusių skulptorių ar dailininkų kasdienį gyvenimą. Kai kuriuo-
se minimas svetimoteriavimas ar gyvenimas susidėjus. Pasa-
kojama apie moterį, vardu Unur, kuri gyveno susidėjusi su ama-
tininku, o paskui ištekėjo už vieno Deir al Medinos gyventojo
ir leidosi suvedžiojama „kaimo mergišiaus" Panebo, rėžusio
sparną dar ir apie jos dukrą. Motina ir dukra dalijosi patalu su
tuo Don Žuanu, o šis suviliojo dar vieną ištekėjusią kaimo mo-
terį. Kai tik Panebas metė Unur dukrą, ši puolė į glėbį jo sū-
nui, o vėliau ištekėjo už kaimelio seniūno.

Vis dėlto egiptietės turėjo saugoti nekaltybę iki vestuvių.
Setnachtės laikais už neištikimybę buvo griežtai baudžiama.
Bet iš tikrųjų paprastų žmonių gyvenimas buvo visai kitoks.
Egiptiečių negąsdino nei teismas, nei meilužio iškastravimas,
nei nupjauta nosis. Nusikaltusiam meilužiui dar galėjo nupjauti
ausis ar išsiųsti jį į tremtį. Neištikimą žmoną, jeigu šios nenu-
teisdavo mirti, vyras, gavęs prisiekusiųjų sutikimą, dažniau-
siai išsiųsdavo į Nubiją.

Vis dėlto griežtos bausmės buvo taikomos vis rečiau. Prisie-
kusieji toleravo neištikimybę, tuo labiau kad ir dievų elgesys
kartais būdavo amoralus. Yra įrašų, rodančių, jog į meilužių
poreles buvo žiūrima atlaidžiai, nors šie nė nemanė liautis ir
turėdavo vaikų. Net už moters išprievartavimą nebuvo griež-
tai baudžiama, nors įstatymai kategoriškai tai draudė.

Norėdamos suvilioti vyrą ar atsikratyti varžovės, prostitutės,
kaip ir visos egiptietės, griebdavosi magijos. Profesionalios ra-
ganos užsiiminėdavo juodąja ar baltąja magija. Kai kurie užkei-
kimai skamba kaip grasinimai dievams, jeigu norai nebus išpil-
dyti. Taip pat būdavo atliekami būrimo ritualai, o jei ir tai ne-
duodavo norimų rezultatų, kurtizanės melsdavosi Hatorai.

Rodopidė prostitute greičiausiai tapo dvylikos metų, – sulaukusios tokio amžiaus, dauguma egiptiečių susižadėdavo. Ar ji ketino ištekėti už Charakso? Sapfo atkaklumas ir nesiliaujantys patarimai kelia įtarimą, kad tokia sąjunga buvo įmanoma. Meilužiams tereikėdavo vienas kitam pasakyti visai paprastus žodžius, ir jie tapdavo vyru ir žmona. Tačiau Rodopidė turėjo būti laisva, nes tuokdavosi dažniausiai laisvieji žmonės. Ar ji priklausė kokiam nors suteneriui? Ar pati užsidirbdavo pragyvenimui? Ar pasilikdavo jai įteiktas dovanas? Ar Charaksas išpirko ją iš nelaisvės? Tai aptarsime kiek vėliau. Iš tiesų Naukratijoje gyveno daugybė sutenerių, ir jie puikiai vertėsi!

Kaip ir daugeliui prostitučių, Rodopidei buvo žinomos senovėje naudotos kontraceptinės priemonės. Nuo įvairių antpilų, tepalų, mikstūrų moterys ilgesnį ar trumpesnį laiką tapdavo nevaisingos. Jos naudodavo akacijas, datules, medų, alų, pieną, kvapiąsias medžiagas ir daug užkeikimų. Pačia veiksmingiausia priemone buvo laikoma į makštį kišama suvynioto audeklo skiautelė, suvilgyta smulkiai sutrintų moliūgų, datulių bei akacijų lapų tyre. Egiptietės manė, kad šis būdas apsaugos nuo nėštumo keletą metų.

Egiptiečiams vyrams buvo draudžiama turėti santykių su savo tarnaitėmis. Siekdama užkirsti kelią neištikimybei, namų šeimininkė labai rūpinosi savo grožiu. Jeigu kildavo įtarimų dėl sutuoktinio arba jei susapnuodavo košmarą, norėdama nusiraminti, ji skaitydavo patarimų knygą. Tokiuose sapnininkuose buvo teigiama, kad sapnuoti savo vyrą deivės šventykloje – labai blogas ženklas, susapnuota deganti sutuoktinių lova reiškė skyrybas, o kėdė laivo denyje pranašavo išsiskyrimą. Matyti save veidrodyje – irgi nieko gera, nes toks sapnas įspėdavo apie kitą moterį.

Taigi egiptietės nemėgo dalytis savo vyru. Kaip matyti iš kai kurių dokumentų, teisėta žmona dažniausiai nebūdavo patenkinta, jeigu antkapyje šalia jos būdavo pavaizduojama ir sugyventinė su vaikais. Po žmonos mirties sugyventinė tapdavo naująja egiptiečio žmona. Tačiau vaikų iš pirmosios santuokos teisės buvo apsaugotos, ir sugyventinės vaikai nepaveldėdavo turto. Šie vaikai buvo laikomi našlaičiais. Jie niekada negalėjo nurodyti savo tikrojo tėvo vardo, ne visada jį ir žinodavo.

Kartais egiptiečiai sugalvodavo argumentų, pateisinančių lankymąsi pas prostitutes. Vis dėlto papirusai liudija, jog kai kurie našliai likdavo ištikimi savo mirusiai žmonai. O savo teisėmis piktnaudžiaujančios ar vaidingos žmonos savo elgesiu skatindavo vyrus lankytis smuklėse.

IV

VILIONĖS

Grožio receptai

Rodopidė žinojo daugybę grožio receptų. Kaip ir daugelis egiptiečių, ji greičiausiai maudydavosi keliskart per dieną, kartais įtrindavo kūną smilkalais, kaip tai buvo daroma senovėje. Odą šveisdavo smėliu, o burną skalaudavo sūriu vandeniu. Galbūt į vandenį vonioje ji netgi dėdavo šiek tiek molio, kad vanduo putotų.

Susipažinusi su Sapfo broliu, Rodopidė galėjo sau leisti pasilepinti pas pedikiūrininkes, manikiūrininkes, kosmetologes ir kirpėjas, tačiau, be abejonės, išsaugojo ir savo asmeninius receptus, kurie buvo žinomi daugeliui prostitučių. Rodopidė vokus dažydavo malachito pudra, o akis apvesdavo švino blizgesiu. Dažai taip pat apsaugodavo akis nuo vėjo, dulkių ir vabzdžių.

Užėjus karščiams, egiptietės prakaito kvapą naikindavo tepalais iš smilkalų ar terpentino, sumaišyto su kvepalais. Rodopidė taip pat žinojo, kaip odą padaryti gražesnę, jaunesnę, stangresnę, lygesnę, kaip panaikinti strazdanas ar įdegį. Jos profesijos atstovė negalėjo turėti nė mažiausio spuogelio. Todėl ji pirk-

davo nepaprastai brangias specialias mikstūras iš natrono, ale-
bastro, druskos ir medaus, kad atrodytų jaunesnė, su asilės pie-
nu sumaišytus tepalus, kad oda spindėtų, dažus, kad nebūtų nė
vieno žilo plaukelio antakiuose bei galvoje, ir nuo senų laikų
žinomą ricinos aliejų, kad išvengtų ankstyvo nuplikimo.

Ar siekdama būti patrauklesnė už varžoves, Rodopidė kreip-
davosi į raganas? Pasak senovės rašytojų, jai to visai nereikė-
jo. Tačiau jai rūpėjo sulėtinti senėjimą, kad savo amatu galėtų
verstis kuo ilgiau. Daugelis grožio problemų buvo sprendžia-
mos naudojant augalus. Skaistumo blyškiam veidui suteikda-
vo tepalas iš ožragės. Juo taip pat naikindavo negražias dė-
mes ir stabdydavo plikimą.

Rodopidė domėjosi mada. Ji mūvėdavo įvairius perukus,
tuo tarpu dauguma prostitučių gatvėmis vaikštinėdavo palai-
dais plaukais. Perukus gamindavo iš žmogaus plaukų ar auga-
lų pluošto. Dažniausiai šukuosenas kurdavo iš kasų arba sruo-
gų. Bėgant metams, perukai darėsi vis sudėtingesni. Tamsius
plaukus puošdavo spalvingais turbanais, lotoso žiedais, papuo-
šalais, dramblio kaulo šukomis, vis įmantresnėmis kepuraitė-
mis. Naudodamos įvairius vulkaninio stiklo induose laikomus
mišinius, mažose dramblio kaulo dėžutėse saugomus smeig-
tukus bei šukas, moterys tapdavo tikros gražuolės.

Rodopidė taip pat žinojo keletą priemonių, padedančių iš-
tverti nuovargį ar ilgą kelionę. Norėdama atsipalaiduoti, ji,
kaip ir kitos egiptietės, kūną įtrindavo vilkdalgių ar narcizų
aliejumi, kelius ir kaklą – čiobrelių tepalu, o kulkšnis – pipir-
nių aliejumi.

Negi Rodopidė galėjo atsisakyti geriausių ir brangiausių
priemonių – raukšles naikinančių kaukių iš miltų, rugių, me-
daus ir nepaprastai daug kainuojančių kvepiančių lapų? Nuo
šiol ji galėjo sau leisti išskirtinius produktus: veidą skaistinan-

čias kaukes iš miežių, miltų, kiaušinių, sakų, medaus, elnio ragų miltelių bei narcizų svogūnėlių, strazdanas naikinančias kaukes iš gudobelių, elnio kaulų smegenų ir veršiuko riebalų, iš krokodilo odos pagamintus skaistalus, kuriuos kartais vartos ir romėnės.

Kvepalų galia

Be jokios abejonės, Rodopidė mokėjo gaminti kvepalus, nors kvepalų gamintojų vis daugėjo, o Aleksandro Didžiojo laikais jų bus dar daugiau. Visos moterys pjaudavo ir skindavo augalus, trindavo šaknis, lapus, stiebus, žiedus, kraudavo šiuos žolynus į maišelius, gręždavo juos ir išsunkdavo sultis bei sumaišydavo jas su mineralinėmis druskomis, kad ilgiau išsilaikytų. Paskui kvepalus perpildavo į indelius, kuriuos užkimšdavo vaškiniais, mediniais ar moliniais kamščiais.

Kurtizanės gausiai kvėpinosi. Tačiau taip gauti kvepalai buvo silpni kaip mūsų odekolonas. Kaip ir graikai, egiptiečiai kvepalus visų pirma naudojo dievams garbinti. Patekėjus saulei, žyniai šventyklose degindavo medžių sakus. Vidurdienį juos pakeisdavo mira. Saulei leidžiantis, degindavo smilkalus. Senovėje žmonės be galo mėgo kvepalus. Graikas Solonas net uždraudė juos pardavinėti, teigdamas, jog Atėnų oras taip persmelktas įvairiausių kvapų, kad graikams prasidėjo alergija. Jo žodžiais tariant, jie nebesugeba teisingai vertinti ir priimti įstatymų ar skirti tinkamų bausmių.

Sekdamos graikių ir egiptiečių kurtizanių pavyzdžiu, romėnės kūną taip pat gausiai šlakstė lelijų, vilkdalgių ir narcizų vandeniu. Juo drėkindavo antakius, plaukus, ištrindavo kelius ir kaklą, taip pat iškvėpindavo patalą, būstą, patalpą, kurioje priiminėdavo klientus, o dar – gėrimus, mirusiųjų pelenus ir vėliavas! Jos mėgo patiekalus, į kuriuos būdavo pridėta gėlių – rožių, vilkdalgių, žibučių – žiedlapių. Netgi sklido kalbos, kad imperatorius Neronas, mirus žmonai Popėjai, sudegino daugiau smilkalų nei per metus iš Arabijos nupirkdavo aukso. O Popėja garsėjo tuo, kad maudydavosi iškvėpintame asilės piene.

Kurtizanės kvepalais išreikšdavo jausmus, norus ar pageidavimus. Siekdama suvilioti Antonijų, Kleopatra grindis nuklojo rožių žiedlapiais. Per puotas romėnai kvapnius žiedlapius iš palubės barstydavo ant svečių. Gydytojai dažnai rekomenduodavo tam tikrus kvepalus norintiesiems lengviau medituoti, apvalyti sielą, pajusti ramybę ir susitelkti. Šventagaršvių, morkų, mandarinų, melisų ar mėtų kvapas ramindavo nervus. Gvazdikų aromatas padėdavo susikaupti. Citrinų kvapas su lengvu apelsinų dvelksmu nuvydavo košmarus. Ramunėlių ir rozmarinų inhaliacijos padėdavo lengviau užmigti ir pailsėti. Pakalnutės nuramindavo smarkų širdies plakimą. Į kvepalus buvo žiūrima visai kitaip nei 1760 metais, kai Jurgis II uždraudė juos naudoti, teigdamas, kad gausiai kvėpinasi tik kurtizanės, o pernelyg išsikvėpinusias moteris nuteisdavo myriop už raganavimą.

Sekdami kurtizanių, o vėliau ir elegantiškų matronų pavyzdžiu, imperatoriai Klaudijus ir Galienas, išsimaudę šešis kartus per dieną, visada išsikvėpindavo. Jie vertino lelijų ir laukinių vynuogių kvepalus bei vilkdalgių ir narcizų aliejus. Tais laikais į dievams paaukotų gyvūnų vidurius pridėdavo įvairiausių augalų ir žiedų.

Rodopidė kvėpindavosi ne vien tik dėl malonumo, bet ir siekdama apsisaugoti nuo blogos lemties ar atbaidyti piktąsias dvasias. Kvepalų smilkymas turėjo neįtikimą galią. Pavyzdžiui, buvo manoma, kad smilkstančios asilo kanopos kvapas

palengvina gimdymą, o aprūkymas kupranugario kailiu apsau-
go nėščias moteris. Kad nieko neskaudėtų, kurtizanės išsikvė-
pindavo visas kūno vietas. Netgi kojų padai maloniai kvepė-
davo, – šį įprotį perims kai kurie imperatoriai, kuriuos smar-
kiai kritikuos rašytojas Plinijus.

Todėl visai nenuostabu, kad Egipto kvepalų dievas Šezmu
buvo minimas kartu su Hatora – meilės, malonumų ir puotų
deive. Visos legendos, visos istorijos apie kokio nors aromato
atsiradimą buvo vaizduojamos ant privačių namų ar netgi šven-
tyklų sienų. Graikai labai vertino nardostachio aliejų: į jį egip-
tiečiai pridėdavo vilkdalgių, kurie buvo siejami su vaivorykš-
te. Egiptiečiai kvepalų ruošimo procesą nupiešė ant Luksoro
piramidžių sienų, o Kretos gyventojai – Knoso rūmuose. Kas
tuo metu nežinojo, kad Iridė* – dievų pasiuntinė, titano ir nim-
fos duktė, virsta vaivorykšte ir taip praneša žmonėms apie sau-
lės sugrįžimą? Kurtizanės labai vertino vilkdalgius, kurie bu-
vo laikomi tyrumo ir atsinaujinimo simboliu.

Kas nedalyvaudavo netoli Spartos organizuojamose šven-
tėse Hiakinto, kurį pamilo Apolonas ir kuris žuvo sportuoda-
mas, garbei? Kas nemėgdavo meilei skirtuose kambariuose
kvėpuoti narcizų garais, padėdavusiais vyrams atsipalaiduoti?
Ant viešnamių ar privačių namų sienų buvo pasakojama isto-
rija apie Narcizą, pamilusį savo paties atspindį upėje. Kurtiza-
nės labiausiai mėgo istoriją apie leliją, atsiradusią iš Junonos
sukurto Paukščių Tako ir laikomą erotikos simboliu. Lelija buvo
satyrų ir Veneros augalas. Antikos rašytojai ją siejo su geidu-
lingumu ir fizine meile.

Laukinių našlaičių nuoviras padėdavo kurtizanėms išsau-
goti lygią ir švelnią odą, našlaičių nuovirą naudodavo, kad

---

* Gr. *Iris* – 1) Iridė; 2) vilkdalgis (*visos pastabos vertėjos*).

balsas būtų gražus, aguonų – kad tembras dainuojant būtų švelnesnis, o levandų – kad būtų lengviau miegoti tarp dviejų klientų!

Aistrą žadinantys aromatai ir augalai

Rodopidė išmanė ir gydomąsias aromatų savybes. Ji mokėjo savimi pasirūpinti. Augalai ir prieskoniai vienas ligas gydydavo, nuo kitų – saugodavo. Dantų skausmą, dažnai kankindavusį žmones, kurie valgė atvirame ore džiovintą maistą, gydydavo peletrūnais. Gresia epidemija? Tada egiptietės prisivalgydavo imbiero ir cinamono, – šių prieskonių jos duodavo ir klientams, kad padidintų jų aistrą. Nedidelį nuovargį mažindavo svogūnai, o blogą virškinimą gerindavo duona bei anyžiai arba agurkų ir su medumi sumaišyto vyno tyrė.

Rodopidė žinojo ir kitų gudrybių, kurios padėdavo jai visada būti žvaliai ir gundančiai. Ji naudodavo Kipro citrinas nuo uodų įkandimų, gerklės skausmo, kraujotakos sutrikimų ar dingus balsui. Be abejo, ji žinojo iš lūpų į lūpas perduodamus stebuklingų meilės gėrimų receptus. Daugelis aromatų buvo afrodiziakai. Česnakai padėdavo išlikti jaunam ir stipriam. Rodopidė greičiausiai naudodavo mėtas, gerinančias atmintį, burnai, rankoms ir kojoms atgaivinti arba dėdavo jų į medumi pasaldintus gėrimus. Klientai jau seniai vietoj egiptietiško alaus su datulėmis gerdavo iš Graikijos atvežtą vyną.

Sumaišę citrinos sultis su mėtomis, egiptiečiai gaudavo puikų vaistą nuo nemigos ir nerimo. Garstyčiomis gydydavo išiją, o rozmarinais – kepenų veiklos sutrikimus. Niekas taip nepadėdavo jaustis žvaliam, kaip daug geležies turintys lęšiai, ir niekas taip neskatindavo virškinimo, kaip pipirai. Į žuvų patiekalus buvo dedama daug krapų, kad neskaudėtų skrandžio. Kurtizanės žinojo visas gudrybes, saugančias nuo nemalonių pojūčių. Antikos žmonės manė, jog niekas neturi tiek vitaminų, kiek su krapais, čiobreliais ar kalendra marinuota žuvis. Bazilikai malšino skausmus, čiobreliai lengvino kosulį ir astmą. Visi išmanė aromaterapiją ir mokėjo paruošti tonizuojančių, liūdesį išsklaidančių ir euforiją sukeliančių patiekalų bei gėrimų. Kvepalų taip pat įmaišydavo į tepalus, jais masažuotojai ištrindavo savo išsimaudžiusius šeimininkus. Kaip ir graikės, Rodopidė mėgo masažą. Juk ir Hipokratas teigė, kad „vonia ir kasdienis masažas su augalų ekstraktais – grožio ir sveikatos paslaptis", nors po kelerių metų poetas Juvenalis sakys, kad visais tais tepalais, aliejais ir kvepalais vyrai išsiteplioja lūpas. O Plinijų papiktins vyrų grožio priemonės, kurias egiptiečiai pradėjo naudoti IV tūkstantmetyje pr. Kr.

Tatuiruotės ir papuošalai

Egiptietės, ypač šokėjos ir kurtizanės, labai mėgo tatuiruotes ant rankų ir pečių. Ant šlaunų dažnai būdavo pavaizduotas pilvotas vaisingumo dievas Besas.

Nuo pačių seniausių laikų paprastos egiptietės dėvėjo plonas linines tunikas ir avėjo sandalus iš odos ar nendrių, o muzikantės, šokėjos ir tarnaitės dažniausiai būdavo nuogos, su auksinėmis grandinėlėmis ant kulkšnių ir diržu ant juosmens. XVIII dinastijos laikais (XV–XIV amžiuje pr. Kr.) buvo madingi sijonai su plačiomis petnešomis, pro kurias matydavosi nuoga krūtinė, arba permatomos tunikos. Taigi egiptiečiai seniai nebesipiktindavo viešumoje išvydę pusnuogę moterį. Jau keletą amžių kurtizanės, kaip ir kitos egiptietės, visur nešiodavosi mažą krepšelį ir veidrodėlį su lotoso ar kokios nors dievybės pavidalo rankena. Jokia egiptietė neišeidavo iš namų be papuošalų. Ametistas, jaspis, karneolis, auksas, sidabras, turkis, lazuritas buvo labai vertinami.

Sutikusi Charaksą, Rodopidė nebesitenkino turguje pardavinėjamais paprastais fajansiniais ar stikliniais papuošalais. Ji didžiuodamasi demonstruodavo meilužio dovanas. Savo lygų, rūpestingai nuskustą kūną ji puošdavo apyrankėmis, antkrūtiniais, žiedais, grandinėlėmis.

Kvepiančią, švelnią ir prižiūrėtą odą mėgo ir vertino ne tik egiptiečiai, bet ir graikai. Helėnų skonis, mados ir papročiai buvo tokie pat kaip egiptiečių. Norėdami gauti kuo tobulesnių grožio priemonių, faraonai siųsdavo ekspedicijas į tolimas šalis. Kareiviai ir ekspedicijų nariai pargabendavo naujų produktų, pačių gryniausių smilkalų, kurie buvo deginami šventyklose ir naudojami kvepalams gaminti, miros, – ji buvo maišoma su krakmolu ir taip gaminamos tabletės bei kvepiantys kankorėžiai, kurių egiptiečiai prikaišiodavo į drabužių skrynias, kišenes ar šukuosenas. Lėtai tirpdama mira kvepėdavo visą dieną.

Meilės receptai

Moterys žinojo daugybę meilės receptų. Veiksmingi užkeikimai ir keisti mišiniai egiptiečiams pasibjaurėjimo nekėlė. Vienas iš tokių receptų – paimti kregždę, kukutį ir asilės bei karvės kraujo. Ištepusi paukščių galvas lotoso tepalu, egiptietė, atsigręžusi į saulę, garsiai sušukdavo ir nusukdavo paukščiams galvas. Jų širdis išmirkydavo asilės bei karvės kraujyje ir įvyniodavo į asilo odą, kurią padėdavo saulės atokaitoje. Ją palikdavo džiūti kelias dienas. Paskui viską sutrindavo ir gautus miltelius suberdavo į dėžutę, kurią paslėpdavo numatytoje vietoje. Kiti meilės receptai buvo skirti užburti ir vyrams, ir moterims. Pavyzdžiui, reikėjo paimti sulos, sumaišyti ją su vynu ar alumi ir tam tikrą mėnesio dieną duoti išgerti geidžiamam žmogui.

Labai buvo vertinami kmynai. Kmynų dėdavo į vaisius, omletą, mėsą ir sriubą. Kadangi buvo manoma, jog arbata stiprina vyrų potenciją, kurtizanės jau per pusryčius ja gausiai vaišindavo klientus. Šie gurkšnodavo arbatą su pienu ir trupučiu mėtų. Peletrūnai irgi turėdavo kone magišką poveikį nelabai aktyviems meilužiams.

Ne itin šauniam meilužiui Rodopidė galėjo pasiūlyti keptų ungurių su kmynais ir pipirais, prieš tai kelias valandas marinuotų citrinų sultyse su česnakais, alyvų aliejumi, druska ir gurgždžiais. Vakarienės pabaigoje – pusmėnulio formos pyragėliai su migdolais, lazdyno riešutais, pistacijomis ir rožių vandeniu. Senovėje žmonės vartojo daug potenciją stiprinančių prieskonių. Pavyzdžiui, dokumentuose minimos gelsvės, kuriomis tikrai gydydavo ne vien tik skaudančią gerklę. Viename 2088 metų pr. Kr. papiruse sakoma, jog kadagiai gerai veikia smegenis ir lytinius organus. Piramidžių statytojai ne tik ištisą dieną kramsnodavo svogūnus bei česnakus, bet ir išgyrė jų afrodiziakines savybes ant kapų sienų.

Iš ryto kurtizanės naudodavo petražoles strazdanoms naikinti ir odai valyti, o vakare jas maišydavo su bazilikais, „karališkomis žolelėmis", bei salierais ir patiekdavo savo klientams. Jokioje sriuboje netrūkdavo potenciją stiprinančių laiškinių česnakų. Šis augalas buvo toks populiarus dar ir todėl, kad gausiai augo Viduržemio jūros regione. Raukšlėms naikinti egiptietės naudojo gurgždžius, o sumaišiusios juos su imbierais bei dašiais gaudavo puikų stimuliuojamą produktą. Bet niekas negalėjo prilygti saule kvepiančiam mairūnui, vadinamajam „laimės augalui".

Dažnai pas kurtizanes besilankantys vyrai irgi žinojo priemonių, padedančių išlaikyti gerą formą. Jų buvo rasta ant sarkofagų. Kai kurios užrašytos II tūkstantmetyje pr. Kr. Pavyzdžiui, vyrams patariama rankoje laikyti ametistą ir ištarti tokius žodžius: „Mano akys kaip laukinio žvėries, o kūnas kaip įpykusio dievo/Mano galva stebi dangų/Mano akys žiūri į žemę/Man tikrai pavyks suvilioti." Tokie užkeikimai buvo veiksmingi visais laikais. Galėjai tarti juos tūkstantį kartų ir niekada nepristigdavai jėgų. Taigi vyras, mokantis visą užkeikimų rinkinį, buvo tikras, jog pas kurtizanes gali lankytis nors ir kiekvieną naktį.

Tėbuose, darbininkų kaimelyje (Deir al Medinoje), rastose puodų šukėse, kurias mokiniai ir raštininkai naudojo kaip juodraščius, irgi išliko meilės receptų, panašių į maldas: „Aš sveikinu dievų dievą/Aš sveikinu jus, deive Hatora, apsirengusią purpuro rūbais/Aš sveikinu jus, dangaus ir žemės valdovai/Tegul ši moteris pažvelgia į mane, arba aš jus sunaikinsiu/Noriu, kad ji mylėtų mane kaip piemuo savo bandą, kaip tarnaitė savo vaikus, kaip karvė savo žolę."

Suvilioti padedančiomis gudrybėmis domėjosi ir faraonai, besivaikantys neįprastų malonumų. Vestkaro papiruse pasakojama apie Snoferu. Labiausiai jam patikdavę žiūrėti į keliolika irkluojančių haremo moterų, apsirengusių vien žvejų tinklu.

Kaip ir visos moterys, Rodopidė greičiausiai labai rūpinosi savo figūra. Kuo žymesnė ji darėsi, tuo svarbiau buvo atrodyti nepriekaištingai. Kitaip ji būtų neišvengusi pašaipų ir kandžių poetų eilių, – juk taip garbinamai moteriai pavyduolių netrūko! Graikai gyvenime siekė ne vien sveikos sielos sveikame kūne, jie laikydavosi ir dietų, kurias rekomenduodavo gydytojai ar... filosofai. Kai kurie domėjosi vien tik moterų problemomis ir siūlydavo joms patiekalus, vegetarišką dietą ar gimnastikos pratimus.

Galbūt Rodopidė, kaip ir daugelis graikių, užsiiminėjo gimnastika. Graikai buvo įsitikinę, kad saikingas valgymas ir gimnastika padeda išlikti sveikam. Jie smerkė bet kokį persivalgymą. Filosofai netgi teigė, jog idealus valgis – tai alyvuogės, duona, sūris ir vaisiai.

Kaip ir dera moteriai tokiu vardu, Rodopidė, kurios siela, kaip buvo kalbama, skraidydavo al Gizos plokščiakalnyje, išmanė visas gėlių gydomąsias savybes. Nuo seniausių laikų buvo žinoma, kad rožės gydo migreną. Raukšliai padeda suvilioti ir apžavėti meilužius. Lelijos ir šalavijai – „gelbstintieji augalai" – skatino vaisingumą, todėl kurtizanės jų vengė. Mira saugojo nuo ligų. Kad būtų lengviau vaikščioti su sunkiais perukais ir kepuraitėmis, kurtizanės mielai gurkšnodavo žibuoklių arbatą.

Gėlių girliandas Rodopidė pasirinkdavo ir pagal klientų skonį ar jų gimimo dieną. Pavyzdžiui, buvo manoma, kad Jaučiams labiausiai patinka lelijos. Avinai mėgo smilkalus, Svarstyklės – kvepalus su prieskoniais, Šauliai – aštrius aromatus, Vandeniai – nestiprų tualetinį vandenį, o Žuvys – vaisių kvapus.

V

LEGENDINĖ MOTERIS

Haremų konkurencija

Prostitutės buvo nepaprastai populiarios, nors Egipte buvo ir haremų. Faraonui priklausė keletas haremų jo rūmuose, taip pat ekspedicijų metu jį lydintys haremai, o paprasti egiptiečiai turėjo tik vieną žmoną. Dažniausiai jie buvo ištikimi žmonai, kuri rūpindavosi namais. Kai kurie sutuoktinės netgi prisibijodavo ir stengdavosi išvengti skyrybų, nes tokiu atveju būtų patyrę nemažai nuostolių. Skiriantis vyrai turėjo grąžinti kraitį, buvusiai žmonai perleisti dalį savo turto ir mokėti alimentus, o kartais dar ir apmokėti skyrybų išlaidas.

Egipto išminčiai primygtinai patarė kraštiečiams laikytis kuo atokiau nuo užsieniečių. Bet kas gi klausys tokio patarimo! Patys faraonai iš karo žygių parsivesdavo kalinių, kurios papildydavo haremus. Tutmozis III ir Amenofis III vertino moteris iš Azijos, Nubijos ir Libijos. Kaip ir gretimų šalių karaliai, jie gyveno su princesėmis užsienietėmis, nusipirktomis už auksą.

Egipto faraonas gerai elgdavosi su princesėmis, teikdavo joms dovanas ir valdas su daugybe valdinių, o jų vaikai gaudavo patį geriausią išsilavinimą, kaip ir sosto paveldėtojai. Paprasti egiptiečiai net svajoti negalėjo apie tokį gyvenimą ir įpročius. Į karalių kapus būdavo dedami ir *ouchbeti*, vaizduojantys tarnaites bei haremo moteris, turėjusias tarnauti savo šeimininkui pomirtiniame pasaulyje.

Egiptiečiai labai žavėjosi šauniomis kurtizanėmis, mokančiomis groti, dainuoti ir šokti. Haremuose joms vadovaudavo karalienės įsakymus vykdanti vyresnioji, o jai padėdavo pavaduotojas, raštininkai, valdininkai ir prižiūrėtojai. Kiekvienas haremas turėjo savo paslaugas teikiančius padalinius bei audyklas, kur buvo audžiami religinių apeigų rūbai. Moterys taip pat gamino dėžutes makiažo priemonėms, indelius tepalams ir įvairius tualeto reikmenis.

Kažin ar Rodopidė svajojo patekti į haremą – kone atskirą valstybę, gaunančią stambias pajamas iš gyvulininkystės, medžioklės, žvejybos ir žemdirbystės? Ar ji norėjo būti viena iš tų princesių, kurias ištekindavo diplomatiniais sumetimais, siekiant sustiprinti savo šalies ryšius su Egiptu? Be abejonės, iš visų haremo moterų didžiausią pavydą keldavo princesės, į Egiptą atvykdavusios su šimtais tarnaičių. Charaksas tarsi karalius apipylė Rodopidę nenusakomais turtais, taip nustumdamas užmarštin sunkius laikus.

Visos egiptietės žinojo vieną iš geriausių šalies haremų, labai populiarų XVIII dinastijos laikais. Jis buvo al Fajumo oazėje, už kelių šimtų kilometrų nuo Kairo.

Magija ir meilė

Egiptiečiai turėjo nemažai dokumentų apie magiją, nes ji buvo paplitusi visuose visuomenės sluoksniuose. Rodopidė buvo susipažinusi su tais rankraščiais, raštininkų ar faraono tarnautojų rašytais tekstais, saugomais Gyvenimo name. Galbūt jai teko susitikti su profesionaliais burtininkais, kurie būdavo kviečiami į karaliaus rūmus. Be abejo, ji kreipdavosi patarimo į žynius, kurie vieninteliai bendravo su dievais ir žinojo jų paslaptis, – žyniai buvo ir burtininkai, ir gydytojai. Saugomos jų magiškų fluidų, ekspedicijos saugiai nuvykdavo į reikiamą uostą, o laukiniai žvėrys nepuldavo karaliaus pasiuntinių.

Magiški žodžiai suteikdavo kurtizanėms galią išlaikyti senus klientus ar suvilioti naujų. Hiksų laikais parašytame Vestkaro papiruse, Hario papiruse, sukurtame valdant XIX dinastijai, Deir al Medinos pasakose nurodomi laikotarpiai, kada geriausia kreiptis į burtininkus ir kada jų reikia vengti, pavyzdžiui, liepos mėnesį, keičiantis metų laikams.

Visi žinojo, kokią įtaką meilės magijai turėjo deivė kobra, garbinama Karnake, Sechmeta žvėries galva, prisikėlęs Oziris, Totas ibio galva ar Sebekas krokodilo galva.

Kurtizanės nešiojosi magiškus amuletus. Keletas tokių amuletų buvo rasta Ramezėjuje, Ramzio II milijonų metų šventykloje: figūrėlių iš dramblio kaulo, džed ženklų, beždžionių, gyvates vaizduojančių kaukėtų moterų statulėlių, begemotų ilčių, mažyčių apsauginių stelų, dievo Tutu, dvasių valdovo, stelų. Norėdamos apžavėti vyrus, kurtizanės dėvėdavo raudonos – magiškos kerėjimo spalvos drabužius.

Kvepalai buvo neatskiriama ritualų dalis, o kiekvienas kvapas simbolizavo tam tikrą dievą ar žvaigždes. Jeigu patraukliam žmogui buvo linkima gero ir norėta pasinaudoti saulės įtaka, burtininkė kurtizanėms paruošdavo gaidžio kraujyje išmirkytų šafranų, gintaro, muskuso, kvapiosios vyšnios, gvazdikėlių, lauro vaisių ir miros nuovirą. Siekiančiosios atkeršyti varžovei naudodavo mėnulį traukiančių žmogaus kraujyje sudegintų aguonų, smilkalų ir kamparo mikstūras. Kai kurie burtininkai netgi rekomenduodavo šiuos keistus mišinius valgyti ar gerti iš gyvūnų kaukolių.

Magiškus veiksmus lydintys užkeikimai irgi buvo keistoki. Net dievai turėjo dalyvauti kerėjimo rituale, kitaip galėjo būti nubausti. „Jei nepaklusi, – sakydavo kerėtoja, – melsiuosi, kad dangų ištiktų nelaimė. Nupjausiu karvei galvą, ir dievai turės mane išklausyti. O jei ne, Setui bus išdurtos akys, Sebekas apaugs žvėries kailiu, o Anubis – šuns gaurais."

Jei kurtizanė trokšdavo atsikratyti varžovės, ji galėjo imtis ir labai baisių priemonių, kurios baigdavosi konkurentės mirtimi. Kad taip įvyktų, kaip rašoma magijos tekstuose, tereikia užrašyti varžovės vardą ant puodo šukės arba, dar geriau, ant švino lakšto ir apvynioti jį siūlais. Ant lakšto užrašydavo ir maldą. Paskui į jį suvyniodavo vinį ir užkasdavo tam tikroje vietoje.

Kai kuriuos būdus įgyvendinti praktiškai buvo gana nelengva. Pavyzdžiui, reikėjo paimti žuvį, ją išmirkyti stipriai kvepiančiame aliejuje, geriausiai – iškvėpintame rožėmis, dar įpilti vandens ir įdėti amuletą. Paskui kurtizanė turėjo septynias dienas iš eilės septynis kartus, atsigręžusi į saulę, ištarti užkeikimą. Tada reikėjo palaikyti žuvį miroje ir natrone, mumifikacijai naudotoje medžiagoje, ir ja išsitrinti veidą prieš mylintis su geidžiamu vyriškiu. Po to žuvį užkasdavo namuose. Šiuo metodu naudodavosi ir vyrai, įsižiūrėję kokią nors moterį.

Egipto kurtizanės puikiai žinojo, ką daryti, susiklosčius kritiškai padėčiai. Tereikėdavo pasitarti su gabesnėmis burtininkėmis ir atnešti varžovės plaukų sruogą ar jai priklausantį daiktą. Juos burtininkė naudodavo juodosios magijos ritualų metu ir taip pakenkdavo nekenčiamai moteriai. Ji turėdavo ir tą moterį vaizduojančių statulėlių bei švininių plokštelių. Burtininkė didžiulėmis adatomis badydavo tam tikras statulėlės kūno vietas: galvą, smilkinius, akis, burną, krūtinę, lytinius organus, pėdas ir plaštakas. Vis dėlto šis ir mūsų laikais žinomas būdas galėjo būti naudojamas ir gerais tikslais. Užteko vyro ir moters figūrėles sustatyti vieną priešais kitą, įdurti į reikiamus taškus, ir tie žmonės pajusdavo vienas kitam trauką, kuriai buvo neįmanoma atsispirti.

Apžavėtas žmogus iš burtų galios išsivaduodavo tik po atkerėjimo rituralo, kurį irgi atlikdavo burtininkai. Paprasti žmonės magiją išmanė tik bendrais bruožais: nudažydavo duris raudonai, kad nuvytų piktadarius ar nepageidaujamas dvasias, ištepdavo langus tepalu, kad apsisaugotų nuo kerų.

Konkurencija tarp prostitučių ir daugiau pasiekusių kurtizanių buvo tokia didelė, kad buvo leidžiamos visos priemonės. Nedaugeliui pavykdavo susirasti pakankamai turtingą vyrą, galintį išgelbėti jas iš varganos padėties. Dar mažiau buvo vyrų, laikančių jas savo gyvenimo draugėmis. Taigi Rodopidės likimas tikrai ypatingas.

Kai kurios kurtizanės žinojo ir dar sudėtingesnių magiškų ritualų. Klientui ant kaklo pakabindavo statulėlę su įrašu: „Kelkis ir supančiok tą, kurio geidžiu, kad jis taptų mano meilužiu". Kairėje rankoje kurtizanė laikydavo raištį. Surišusi meilužiui rankas už nugaros, jam duodavo afrodiziakais laikytų patiekalų: gėlių pyragėlių, agurочių su mėtomis ir lotosais, kepsnių su kmynais, salierais ir krienais, žuvų salotų su šafranais, petražolėmis, pipirais, druska, šalavijais, laiškiniais česnakais, desertų su muškatais ir aguonomis, arbatos su bergaminio citrinmedžio vaisiais, medumi ir kardamonu ar žolelių arbatos su dašiais.

Kito rituralo metu reikėjo paimti kurtizanę ir jos meilužį vaizduojančias figūrėles. Burtininkė nuspręsdavo, iš ko jos turi būti – molio ar vaško. Vyro figūrėlės rankoje būdavo vinis ar adata. Šia adata kerėtoja įdurdavo moters figūrėlei į kaklą dešinėje pusėje. Pastaroji būdavo parklupdoma priešais vyro statulėlę už nugaros surištomis rankomis, – tai simbolizavo paklusnumą. Kartais vaidmenys būdavo sukeičiami, tačiau rezultatas visada buvo akivaizdus. Tą porą paveikdavo meilės kerai. Šis ritualas buvo toks veiksmingas dar ir dėl to, kad buvo atliekamas palankiomis dienomis.

Pats veiksmingiausias metodas, aprašytas tekstuose, buvo dar šiurpesnis. Ant meilužį vaizduojančios figūrėlės kerėtoja užrašydavo keletą magiškų žodžių. Paskui į ją įbesdavo trylika adatų, visą laiką tardama užkeikimus. Tada figūrėlei ant kaklo pakabindavo švino plokštelę. Kurtizanė galėdavo atvirai pasakyti, ko trokšta. Ar ji nori sužavėti šį vyrą? Suvilioti jį metams ar ilgiau? Užburti jį taip, kad šis padovanotų jai savo turtą? Kad noras išsipildytų, reikėjo jį ištarti kuo aiškiau. Paskui, burtininkės patarimu, figūrėlę kartu su gėlėmis reikėjo padėti ant smurtine mirtimi mirusio žmogaus kapo.

Kurtizanių aplinkoje labai paplitusios buvo ir užburiančios mylėjimosi pozos. Tereikėjo įkalbėti meilužį atsiklaupti atstačius kulnus ir sudėti rankas už nugaros. Tik kaip jį įtikinti, kad jo niekas nesikėsina užkerėti?

Galbūt ne taip dažnai buvo naudojami gyvūnai. Taikant šį būdą, nereikėjo, kad meilužis būtų šalia. Moterys, siekiančios suvilioti trokštamą vyrą, labai vertino miško peles ir skarabėjus. Jeigu kurtizanėms nepavykdavo gauti šių gyvūnų, jos nešiodavo gyvūnus vaizduojančius amuletus, nors tada rezultatai nebuvo tokie geri.

Gandai

Daug poetų, istorikų bei mokslininkų šmeižė Rodopidę ir, nepateikdami įrodymų, tvirtino, kad, siekdama užkariauti Charaksą ir užliūliuoti jo budrumą, ji griebėsi visų įmanomų priemonių.

Kai kurie pasakojo, kad Rodopidė buvo nepasotinama meilužė, kadangi gimė ne Egipte, o Trakijoje. Atėnajas, remdamasis Klezijo pasakojimais, tvirtina, jog Rodopidė buvo įvairių ritualų žinovė. Nebuvo nė vieno būdo, nė vienos mikstūros, nė vieno užkeikimo, kurio ji nežinojo. Ji išmanė visas kurtizanių ir burtininkių priemones bei gebėjo uždegti kiekvieną vyrą ir patenkinti bet kokią jo užgaidą. Meilėje ribos jai neegzistavo. Malonumui ji atsiduodavo aistringai ir su ypatingu džiaugsmu.

Kiti rašytojai teigė, kad Rodopidė buvo pasakėtininko Ezopo žmona, o į Egiptą atvyko, kai ją nusipirko Ksantas Samietis. Ar ją pardavė viešnamio savininkas? Ar ją išsirinko turguje? Suteneriu tapęs Ksantas lobo iš meilės meną išmanančios Rodopidės. Garsas apie Rodopidę kone prilygo faraono šlovei, iki susitikimo su Charaksu ji turėjo gausybę meilužių. Charaksas vergę pamilo. Ksantas greičiausiai taip lengvai tokios moters neatidavė. Taigi Charaksui teko sumokėti didžiulę sumą, kad gautų, ko nori.

Laisvę atgavusi Rodopidė galėjo išvažiuoti iš Egipto, tačiau ji buvo tokia garsi, kad nusprendė, jog naudingiau jame pasilikti. Be abejo, Charaksas ją apgyvendino Naukratijoje, kur nuolat lankydavosi. Jeigu gražioji Rodopidė ir buvo jam ištikima, kai jis atplaukdavo į Egiptą, labai abejotina, kad ji būtų laukusi Sapfo brolio ištisus metus.

Keletas rašytojų pasakoja istoriją apie Rodopidės susitikimą su faraonu Amaziu, kai Charaksas eilinį kartą buvo išvykęs. Ji nuoga maudėsi Nilo upėje, ir pro šalį skridęs erelis pavogė jos batelį. Paukštis nunešė jį į Memfį ir numetė priešais faraoną Amazį, tuo metu teisėjavusį savo rūmuose. Susižavėjęs tokiu mažu bateliu, karalius nutraukė posėdį ir įsakė nedelsiant rasti jo savininkę. Iš miesto į miestą keliavo šauklys, kuris su visomis smulkmenomis pasakojo, kaip atrodo Rodopidės batelis, ir ši jį atpažino. Moteris tuojau nuvyko į Memfį ir stojo priešais faraoną, apnuoginusi vieną koją. Šis jai pasiūlė tapti viena iš jo rūmų moterų. Bet Rodopidė, nors ir suprasdama, kad pasitaikė proga įgyti karaliaus palankumą, nesutiko jam atsiduoti, jei šis jos neves. Ji taip tvirtai laikėsi savo reikalavimo, kad galų gale karalius nusileido. Taigi kurtizanė, buvusi vergė, tapo karaliene ir už pinigus, gautus už parsidavinėjimą, pastatydino piramidę. Ta piramidė buvo septynių šimtų pėdų pločio ir trijų šimtų penkiasdešimties pėdų aukščio.

Nors ši pasaką apie Pelenę primenanti istorija nesutrukdė Dorichei-Rodopidei ir toliau susitikinėti su Charaksu, ją išgirdusi Sapfo vėl puolė priekaištauti broliui. Štai kaip Pausidipė atsiliepia apie jos eiles, kupinas ir pykčio, ir susižavėjimo: „Kaspinas prilaikė tavo plaukus ir kasas, svaiginamas aromatas sklido nuo perregimos tunikos, raudonos lyg vynas, pilamas į taures, o tu bučiavai Charaksą. Apie šią meilę pasakojančios Sapfo eilės atneš tau nemirtingumą. Naukratijos miestas neužmirš tavęs tol, kol Nilu plaukios laivai."

Tačiau istorija tuo nesibaigia. Rodopidė labai rūpinosi savo piramide. Ji palaidota netoli tos vietos, kur ilsisi prieš kelis amžius mirusio Mikerino kūnas. Jai buvo padarytas mėlyno bazalto sarkofagas.

Dievai ir meilės šventės

Ir kokių tik legendų graikų jūreiviai neparveždavo iš Naukratijos, kur netgi buvo įkurta viliojimo mokykla! Helėnai šiame mieste jautėsi kuo puikiausiai, nes nemažai kurtizanių buvo graikės. Jos išmanė ir rytietiškus žavėjimo būdus, ir graikiškas vilionių paslaptis. Jos ne tik puikiai šokdavo rytietiškus šokius, bet ir protingai diskutuodavo filosofinėmis temomis, kartais net patardavo princams, kokį sprendimą priimti. Graikai išmokė egiptietes rengtis, dažytis, dainuoti ir kalbėti viešumoje.

Rodopidė dalyvaudavo visose vaisingumą ir meilę šlovinančiose šventėse, daugiausia skirtose Izidei, per kurias vykdavo orgijos. Šventės jaučio Apio, vaisingumo ir geidulingumo dievo, garbei buvo švenčiamos Nilo upėje, skambant kitaroms, arfoms, dviguboms fleitoms ir cimbolams. Geidulingiausios buvo dievą garbinančios moterys. Nuoga krūtine, vos prisidengusios kūną, jos šokdavo aplinkui panteros kailiu apsigobusį žynį. Nors graikai perdavė savo ritualus egiptiečiams, vyno dievą graikės garbino sekdamos Tėbų gyventojų pavyzdžiu.

Istorikas Herodotas teigia, kad Melampas puikiai žinojo šventas ceremonijas dievo Falo-Bakcho garbei. Kaip ir egiptietės, graikės per dažnai rengiamas šventes, panašias į tas, kurios buvo skirtos Venerai ar Cererai, ėmė šlovinti reprodukcijos organą. Priapas tapo fizinės meilės ir seksualinio pasitenkinimo dievu. Keista legenda pasakoja, kad Junona, pavydėdama savo dukrai Venerai dėl to, kad ši laukiasi, pasirūpino, kad ji pagimdytų bjaurios išvaizdos vaiką. Vis dėlto moterys jį labai mylėjo, todėl jų vyrai išvarė jį iš miesto. Vėliau, maldaudami atleidimo, jam pastatė daugybę altorių.

Rodopidė garbino vaisingumo dievus. Daug vėliau daugelis romėnų imperatorių netgi nukaldins monetas su dievo Priapo atvaizdu. Jam aukodavo asilus, pieną, medų ir vaisius. Neteisinga manyti, kad senovės žmonės Priapo ar kitų vaisingumo dievų kultą manė esant nepadorų ar nedorovingą. Savo vyriškumą demonstruojantis Oziris egiptiečiams tebuvo gimimo ir gimdymo simbolis. Šis dievas labai panašus į Bakchą.

Saulė, atgimimo šaltinis, irgi buvo meilės ir malonumų simbolis. Senųjų laikų žmonės noriai garbino vyriškosios lyties organą. Egiptietės netgi segėjo ant kaklo jo formos amuletus, pagamintus iš pusbrangakmenių ar dramblio kaulo. Šie papročiai nieko nešokiravo. Tačiau už akibrokštus buvo griežtai baudžiama. Kai kurioms kurtizanėms kliūdavo už pernelyg permatomus drabužius, palaidus plaukus, gašlias manieras ir bandymus suvilioti turtingiausius vyrus.

Rodopidė dažnai rodydavosi populiariausiose ir lankomiausiose vietose. Ši meilužių norams paklūstanti moteris tikrai buvo girdėjusi apie Sikioną, kur vyrai parsidavinėjo visai nesigėdydami. Tokios prostitucijos pradininkas buvo pats Bakchas, nes parsidavė, norėdamas surasti motiną požemio karalystėje.

Taigi kurtizanės privalėjo skaitytis su papročiais, graikų filosofais, savo kalbose šlovinančiais meilę tarp vyrų, pavydžiomis žmonomis, pasirengusiomis atkeršyti neištikimam vyrui, ir visuomene, kuri geresnę padėtį ir daugiau valdžios suteikė vyrams, o ne moterims. Egipte Rodopidė, be abejonės, buvo labiau vertinama, negu būtų buvusi Graikijoje, kadangi egiptiečių moterų padėtis buvo geresnė už graikių.

MEILĖ IR ŠVENTUMAS

Normalus amatas

Dokumentų, kurie teikia smulkių žinių apie Egipto kurtizanes, labai nedaug. Įrašų liekanos, vienas kitas užrašas, papirusai atskleidžia, kiek kainavo kai kurios prostitutės. Bet tokių tekstų labai nedaug. Kiek joms buvo metų? Kokias paslaugas jos teikdavo klientams? Ką jos veikdavo, nustojusios užsiiminėti prostitucija? Atrodo, kad prostitutės keliavo iš miesto į miestą ir dirbo, prižiūrimos vyro.

Galbūt oficialiai prostitucija buvo uždrausta. Visos prostitutės turėjo kitą amatą, leidžiantį nuslėpti tikrąją veiklą. Jos buvo šokėjos, fleitininkės, grojėjos kastanjetėmis, akrobatės ar dainininkės. Tačiau tokios priedangos nereikėjo vergėms, – jos turėdavo atsiduoti tam, kurį nurodydavo jų šeimininkas. Taip Ksanto įsigyta Rodopidė tapo prostitute.

Sunku pasakyti, kiek tiksliai buvo šiuo amatu besiverčiančių laisvųjų moterų ir vergių. Moterys buvo skirstomos į skirtingas kategorijas pagal specializaciją. Dauguma puikiai išmanė, kaip meilužiams ar sau pačioms suteikti visus įmanomus malonumus. Jos turėjo erotinių padėčių vadovėlių ir mokėjo tiek įvairiausių meilės pozų, kad egiptiečiai lankydavosi pas jas, norėdami išbandyti tai, ko nedarydavo su žmona. Atsižvelgdami į savo ūgį ar sudėjimą, vyrai pasirinkdavo vieną ar kitą būdą. Kaip teigia Filėnidė, meilės meno žinovė, dauguma meilužių būdavo tokie nerangūs, kad prostitutėms tekdavo juos mokyti.

Kurtizanės garsėjo ne tik kaip vyrų linksmintojos. Kartais jas lygindavo su plėšrūnais. Apie Rodopidę sakydavo, kad vyrus ji ryte ryjanti. Nors kurtizanės pasivadindavo maloniais vardais, susijusiais su jų amatu ar išvaizda, bendrauti su jomis reikėjo saikingai.

Naukratijoje Rodopidė iš pradžių greičiausiai dirbo viešnamyje. Galbūt jos šeimininkas Ksantas viešnamio savininkei turėjo mokėti mokestį. Valdant Ptolemajams, valstybei reikėjo mokėti labai didelius mokesčius. Rodopidės laikais viešnamis niekuo nesiskyrė nuo paprasto privataus namo. Tik maži kambarėliai, kuriuose moterys priiminėdavo klientus, leido įtarti, kad šiame name įsteigtas viešnamis. Galbūt ant durų buvo nupieštas falas ar dievo Mino atvaizdas, bet ir tai tiksliai nežinoma.

Kurtizanės ir dievai

Valstybiniai mokesčiai daugiausia buvo skirti žyniams ir šventykloms. Todėl viešnamiai dažnai įsikurdavo netoli šventyklų. Taip buvo al Fajume. Oksirinche prie Sarapido šventyklos buvo rastas viešnamis, panašus į stovėjusį Sakaroje prie Tečio piramidės, kurios sienos ištapytos erotinėmis scenomis ir spalvotais vaisingumo dievo Beso atvaizdais. Kambariuose buvo rastos ir figūrėlės erotinėmis pozomis. Galbūt prostitucija ten buvo verčiamasi garbinant Astartę. Tokiu atveju figūrėlės galėjo būti aukos vaisingumo deivei. Šie radiniai kelia minčių apie šventąją prostituciją. Ar Egipte ji egzistavo ir ar moterys turėjo parsidavinėti prieš ištekėdamos, kaip vėliau bus daroma Korinte? Ar šventąja prostitucija buvo užsiiminėjama Sakaroje ar šventyklose Kleopatrų laikais? Elefantinos saloje, kur klestėjo prostitucija, gyvavo dievo Chnumo kultas. Prostitutės ten daug uždirbdavo, ypač per šventes. Galbūt šioje vietoje buvo garbinami ir gyvūnai, – tai galima spėti iš keistų paveikslų, vaizduojančių gyvūnų sueitis su džiūgaujančiomis moterimis.

Kaip matyti iš keleto dokumentų, prostitutės kasmet turėjo mokėti mokestį. Net jeigu buvo nepriklausomos ar dirbo namuose, jos neišvengdavo rinkliavos. Armano tekste sakoma, kad prostitutei Artemidorai teko sumokėti mokesčių rinkėjui per didžiąją Montu šventę, kai buvo tikras lankytojų antplūdis. Leidimas verstis prostitucija buvo suteikiamas per garsiąsias Izidės ir Ozirio šventes. Gali būti, kad prostitutės sekdavo paskui dievo statulą iš miesto į miestą, kur tas dievas buvo garbinamas. Tada jos mokėdavo mokestį už leidimą laisvai verstis savo amatu ne mieste, o regione.

Gerai žinoma, kad mokesčiai už prostituciją atsirado valdant romėnų imperatoriams, tačiau kokia padėtis buvo Rodopidės laikais? Kaip būdavo apskaičiuojama, kokio dydžio mokestį mokėti prostitutei, žinant, kad jaunos moterys turėjo daugiau darbo, o geriau uždirbdavo pildančiosios daugiau klientų užgaidų? Jeigu darytume prielaidą, kad į prostitutės amatą buvo žiūrima kaip į bet kurį kitą, gali būti, kad jos nebuvo apmokestinamos. Yra žinoma, kokio dydžio mokesčiai būdavo renkami Palmyroje, tačiau Zenobijos karaliavimą nuo Rodopidės skiria daug amžių.

Klientai

Ar egiptietės avėjo, kaip tai buvo daroma Efese, sandalus su vinimis, kurios einant žemėje įspausdavo tam tikrą žinutę? Ar taip duodavo suprasti esančios prostitutės? Ar galimiems klientams perduodavo konkrečius pasiūlymus?

Klientai daugiausia būdavo kareiviai. Iš daugybės romėnų epochos grafitų matyti, kad prostitutės dažnai dirbdavo netoli stovyklų. Galbūt kareiviai tarnavo dykumoje tarp Raudonosios jūros ir Kopto, iš kur išvykdavo ekspedicijos. Greičiausiai buvo įkurta stovykla prie Klaudijaus kalno. Prostitutės tikėjosi ten gauti darbo ir kūrėsi tose vietovėse, nepaisydamos klimato ir gyvenimo sąlygų.

Sirijoje, netoli Dūra Europo, buvo rasti įrašai su tose vietose, netoli stovyklų, gyvenusių moterų vardais. Juose minima Tikina, praminta „nepasotinamąja", taip pat „senoji Tenidė" bei kitos moterys iškalbiais ir garbės nedarančiais vardais.

Vis dėlto prostitučių klientai buvo ne vien tik kareiviai, jūrininkai ir keliautojai. Viešnamiuose lankydavosi daugelis jaunuolių. Aleksandrijoje kartais kildavo pavydžių klientų muštynės. Iš tekstų matyti, kad Hermopolyje padėtis buvo dar blogesnė. Kivirčai kartais baigdavosi mirtimi. Žudydavo ir moteris. Klientai reikalaudavo pavojingų santykių. Sužinojusios apie vyro neištikimybę, žmonos elgdavosi nenuspėjamai. Pasitaikydavo ir kraujomaišos atvejų. Išliko pasakojimas apie Diodemą, dažną viešnamių svečią, kuris kiekvieną naktį kokiame nors viešnamyje susitikdavo su ta pačia moterimi. Akivaizdu, kad jam patiko su ja bendrauti. Nepaisant to, jis ją nužudė. Neaišku, nei kaip, nei kodėl jis tapo žmogžudžiu. Jį išsyk sulaikė ir įkalino. Keletas politikų bandė šį žmogų apginti. Tačiau nužudytosios motina, gyvenusi iš dukters uždirbamų pinigų, pareikalavo paramos. Teisėjų sprendimas labai įdomus, kadangi teismas vyko tuo metu, kai į prostitutes buvo žiūrima atlaidžiai. Žudiką nuteisė myriop, kad jo mirtis taptų pamoka kitiems. O nužudytosios motina turėjo gauti paramą.

Antikos laikais nemažai tėvų gyvendavo iš dukterų uždirbamų pinigų. Jie bus dažnai vaizduojami graikų dramose. Šeimos gyvenimas priklausė nuo vienos ar kelių dukterų darbo, todėl prostitucija greitai plito. Galbūt Rodopidės laikais egiptiečiai nesuvokė, kaip rizikuoja viešnamių klientai, tačiau vėliau daugelis rašytojų nuolatos įspėdavo užkietėjusius lankytojus.

Proga susikrauti turtą

Buvo daug švenčių, kuriose kurtizanės galėjo pasirodyti visu gražumu ir užsidirbti pinigų. Praėjus keliems amžiams po Rodopidės, Kanopas, kur gyvavo Sarapido kultas, prostitutėms buvo idealus miestas. Bet Rodopidė turėjo ir daugiau progų linksmybėms. Egipte klestėjo vaisingumo, meilės ir seksualumo kultas, dažnai buvo keliamos šventės vaisingumo dievų garbei. Geidulingos moterys Tėbuose šlovino Hatorą, Sakaroje – Ra ir Apį, Memfyje – Ptahą. Pirmame amžiuje Egipte lankęsis Diodoras Sicilietis aprašė religinius erotinius ritualus, merginų atliekamus aplink jautį Apį. Iš tiesų buvo manoma, kad potencija niekas negali prilygti dievui Apiui. Kaip rodo Ptolemajų laikų statulėlės, per tokias šventes, kurių metu egiptiečiai daug gerdavo, kai kurios moterys nedvejodamos demonstruodavo savo lytinius organus.

Bubastyje rengiamos šventės irgi suteikdavo progą pasimėgauti malonumais. Jų metu kurtizanės susipažindavo su turtingais ir dosniais klientais. Kol trukdavo šventė, moterys viešumoje atidengdavo savo lytinius organus deivės Bastetės, o kartais ir Hatoros garbei. Švenčių dalyviai mielai bendraudavo su kurtizanėmis valtyse. Egiptietės triukšmingai grodavo muzikos instrumentais, pavyzdžiui, fleitomis. Vyrai šokdavo ir plodavo rankomis. Paskui daugelis pasukdavo upės link, kur valtyse prostitutės, pasikėlusios tunikas, demonstruodavo savo nuogybę.

Graikai be saiko puotaudavo Adonio garbei. Egiptietės irgi žinojo tą dievą ir garbindavo jį, kai išsiliedavo Nilas. Jos šokdavo kartu su vyrais, dainuodavo, o per vaisingumo ritualus noriai jiems atsiduodavo. Šios šventės dalyviai irgi labai vertino kurtizanes. Net vyriškesnių apeigų metu, kai egiptiečiai garbindavo Ozirį ar Miną, jos turėdavo daugybę klientų. Jos visada dalyvaudavo eitynėse, kur apgirtę vyrai siūbuodavo klubais ir gašliai šokdavo.

Kadangi tokių renginių ir švenčių vis daugėjo, sunku pasakyti, ar Rodopidė lengvai užsidirbdavo pragyvenimui tuo metu, kai sutiko Charaksą. Kiek pinigų jai palikdavo Ksantas? Ar prieš sutikdama Charaksą ji turėjo tokį pat pasisekimą? Ar tik kartkartėm ji keliaudavo su Ksantu, ar nuolatos gyveno Naukratijoje?

Nors dokumentų apie kurtizanių gyvenimą Egipte išliko nedaug, egiptiečių požiūris į meilę ir prostitutes, per kai kurias šventes prasiveržiantis geidulingumas, daugybė vaisingumo, lytinės sueities, meilės ir derlingumo dievų rodo, jog kurtizanėms pasitaikydavo nemažai progų susirasti gerą partiją ir susikrauti turtą. Visame Egipte buvo keliamos šventės Amono, Ra, Hatoros, Mino ar Ptaho garbei, buvo ir kitų garbinamų dievybių. Nilo išsiliejimas, kurį globojo pilvotas dievas Hapis, buvo dar viena proga švęsti būsimą sėją, gausų derlių, žemdirbystę ir atgimimą.

Taigi nenuostabu, kad Charaksas neatsilaikė ir išaukštino Rodopidę beveik iki dievybės, taip atverdamas jai kelią į mitų pasaulį.

LAIDĖ,
„GRAIKŲ BIČIULĖ“

I

IŠSKIRTINIS LIKIMAS

Moteris iš Aiginos

Manoma, kad Laidė gimė Aiginos saloje. Ji buvo našlaitė ir
užaugo vienos gėlininkės šeimoje. Todėl ir jai pačiai teko par-
davinėti puokštes moterims, einančioms į šventyklą šlovinti
Junonos. Šį darbą ji dirbo kelerius metus, kol ją pastebėjo
skulptorius Skopas. Jis nupirko iš Laidės visas gėles ir paprašė
jas nunešti į jo namus. Kitą dieną Laidė su menininku slapta
iškeliavo į Atėnus.

Atėnuose gyveno protingoji Aspasija, už prekybininko ište-
kėjusi buvusi Periklio žmona, kurios namuose rinkdavosi filo-
sofai. Nepaisant garbaus Aspasijos amžiaus, ja vis dar žavėjo-
si didžiausi mąstytojai, ir Skopas atvedė Laidę į jos žavesio ir
iškalbos mokyklą. Taigi Laidė pradėjo lankyti šios iškilios mo-
ters pamokas. Su Aspasija ji bendravo šešerius metus ir išvyko
iš Atėnų po jos mirties. Laidę viliojo Korintas. Ji svajojo ten
visus sužavėti savo grožiu. Skopas, gimęs Paro saloje apie 421
metus pr. Kr., reguliariai dirbdavo Korinte, Atėnuose, Efese
ir Delfuose. Šis skulptorius buvo labai vertinamas. Mūsų lai-
kais jis žinomas kaip Apolono, Marso, Neptūno, Achilo ir ant

delfinų šuoliuojančių nereidžių skulptūrų autorius. Skopas taip pat sukūrė Niobidų skulptūrinę grupę ir Veneros Eucharitės statulą, kuriai pozavo ne kas kitas kaip Laidė. Ši statula buvo tokia tobula, kad konkuravo su Praksitelio kūriniu ir antikos žmonių buvo laikoma grožio etalonu.

Talentingas, produktyvus ir visų mėgstamas Skopas buvo nusamdytas papuošti Efeso ir Delfų šventyklas. Jis išpuošė ir Mausolo kapą. Dirbti jam padėdavo tik ypač talentingi mokiniai.

Laidė Korinte

Laidė nuvyko į Korinto šventyklą, kur kurtizanės laukė svetimšalių. Kurtizanių susirinko labai daug, maldininkai irgi buvo sujaudinti to, kas vyksta. Kurtizanės maldavo meilės deivę padėti joms ir išgelbėti pavojuje atsidūrusį Korintą. Laidė taip pat padėjo gėlių priešais Veneros statulą ir meldė apsaugoti Korintą, kuriame buvo nusprendusi įsikurti. Deivės kaklą ji padabino gėlių vainiku. Šventyklos žynė pasveikino Laidę kaip būsimąją Veneros heterą, išpranašavo jai turtą ir priminė, kad ji turinti ateiti padėkoti deivei kiekvieną kartą, kai aplankys sėkmė.

Niekas neabejojo, kad Laidė taps turtinga moterimi. Kai nuo veido ir plaukų ji nusimetė šydą, ją apspito vyrai, trokštantys pažvelgti į ją iš arčiau, ir iškėlę ant rankų išnešė iš šventyklos.

Tada prie Laidės prisiartino turtingas, senas valdininkas ir pažadėjo palikti jai visą savo turtą, jeigu ši sutiktų gyventi kartu su juo. Tuo metu dar naivi Laidė paklausė, ar jis nori tapti jos tėvu. Šis atsakė teigiamai, ir Laidė trejus metus gyveno su

Leontidžiu, kuriuo švelniai rūpinosi. Ji lankė geriausių mokytojų pamokas ir gavo puikų išsilavinimą. Visi pripažino, kad ji nepaprastai talentinga. Leontidis savo įdukrai paliko didžiulį turtą.

Nuo tada Laidė galėjo kaip ponia gyventi ginekėjoje. Tačiau ji pastebėjo, kad ja nepaprastai žavisi vyrai. Ji buvo aistringa ir brangino savo laisvę, todėl nenorėjo ramaus gyvenimo. Laidė nusprendė tapti hetera ir Korinte atidarė savo mokyklą, kur, pasak gandų, buvo mokoma malonumų ir meilės. Mokykla buvo tokia prabangi, graži ir erdvi, kad netrukus Korintas ėmė garsėti Laidės sodais, kaip Atėnai garsėjo savo Partenonu. Patalpas Laidė apstatė tokiais puikiais baldais, keldavo ten tokias prašmatnias puotas, būdavo taip gražiai pasipuošusi, kad greitai tapo garsenybe. Visi korintiečiai dievino Laidę. Pas ją svečiuodavosi turtingiausi ir mokyčiausi vyrai, tokie kaip Platonas, Aischinas, Demostenas, Aristipas ir daugelis kitų.

Aristipas išmokė Laidę gražiai reikšti savo mintis ir dėstė jai filosofiją. Jiedu maloniai šnekučiuodavosi prie fontano, po aukštais medžiais ar sodo gilumoje.

Jei ne meilužių dovanos, Laidė, be abejo, nebūtų galėjusi išlaikyti tokio namo ar pirkti meno kūrinių, kuriais visi grožėdavosi. Be to, Laidė buvo dosni. Dalį savo palikimo ji paaukojo labdarai.

Laidės sodai

Laidė niekam nepasakodavo apie savo meilužius, o namų duris atverdavo tik išrinktiesiems. Pirmą kartą apsilankiusį vyrą tarnas nuvesdavo į sodo gilumą, kur tarp gėlynų vinguriavo takeliai. Alėjos vedė gražių tvenkinių link. Eidamas rožėmis puoštomis pavėsinėmis, tyliomis ir paslaptingomis vietomis, naujasis lankytojas grožėdavosi Amūrų statulomis, o paskui įžengdavo į ūksmingą įvairiausių augalų labirintą. Rečiausios gėlės, kruopščiai prižiūrimos pievelės grožiu nenusileido marmuro statuloms, simbolizuojančioms meilę ir malonumus.

Nustebęs ir suintriguotas lankytojas praverdavo pavėsinės duris. Laidė sėdėdavo ant pagalvėlių jaunų merginų apsuptyje. Viena mergina paimdavo vyrą už rankos ir nuvesdavo pas šeimininkę. Laidė maloniai pasisveikindavo. Paskui jis galėdavo išsirinkti vieną iš merginų.

Kartą per savaitę Laidės sodai nušvisdavo tūkstančiais šviesų. Šokiai, dainos, plojimai, juokas, paskui vakarienė, kurios metu mokslininkai demonstruodavo savo protą ir kultūrą. Poetas deklamuodavo savo eiles. Filosofas pradėdavo pokalbį aktualia tema. Politikas aiškindavo naujausius įstatymus. Visi sulaikę kvapą klausydavo savo neįtikėtinus nuotykius pasakojančio keliautojo.

Dažniausiai Laidės svečiai aistringai diskutuodavo. Jie kalbėdavosi apie žmogų, sielą, laimę, gyvenimą, dorybes ir ydas, kančią, politikus, kurtizanes, karą, aptardavo daugelį kitų klausimų, į kuriuos kiekvienas stengdavosi pateikti aiškų atsakymą. Galbūt moterys pasiūlydavo lengvesnių, joms įdomesnių temų, tokių kaip grožis, vyrų ir moterų lygybė, vaikai, meilė ir malonumai. Nors vyno netrūkdavo, per Laidės vakarėlius būdavo elgiamasi gana padoriai. Kai svečiuodavosi Skopas ar jo mokiniai, kalba dažnai sukdavosi apie moterų ir vyrų grožį. Visi sutikdavo, kad Laidė – gražiausia iš visų moterų, nors buvo ir kitų pasisekimą turėjusių kurtizanių.

Laidės išvaizda

Pagal to meto grožio kriterijus, Laidė buvo gana apvalaus veido, turėjo lygią ir skaisčią odą, ant pečių krintančius garbanotus plaukus, plačią – protingumo ženklas, – bet ne per didelę kaktą. Akys buvo šviesios, didelės, migdolo formos. Gražūs, švelniai išlenkti antakiai ir ypač ilgos blakstienos žvilgsnį darė nepaprastai išraiškingą. Švytinčios akys teikė veidui gyvumo. Skruostai buvo apvalūs ir rausvi, nosis tiesi, nei didelė, nei maža, su švelniai išgaubtomis šnervėmis. Dažniausiai Laidė būdavo vos praviromis lūpomis. Pro jas bolavo smulkūs lygūs dantukai. Smakras buvo nedidelis. Menininkai jos profilį laikė idealiu. Laidės kaklas buvo tobulas. Jame nebuvo matyti jokios venos, jokios raukšlelės. Pečiai buvo labai proporcingi – nei per platūs, nei per siauri. Laidė turėjo labai gražias krūtis – stangrias, apvalias, baltutėles ir švelnias it aksomas. O rankos ir plaštakos buvo putlokos, kaip ir derėjo tobulo grožio moteriai.

Laidė buvo labai grakšti. Ji vaikščiojo žaviai, gracingai, visi jos judesiai buvo elegantiški. Ji niekada neatrodė vulgari. Laidės alkūnės ir keliai buvo nekaulėti, apvalūs, neišsikišę. Ji turėjo smulkias kulkšnis ir siauras pėdas. Dažnai dažydavosi nagus. Jos nuostabus kūnas buvo labai proporcingas. Be to, Laidė turėjo daug žavesio. Ji norėdavo, kad vakarėliuose dalyvaujantys filosofai išmokytų ją to, ko ji dar nežino, ir prašydavo Aristipo, vieno mylimiausių savo mąstytojų, panagrinėti geidulingumą filosofiniu požiūriu.

Tuščiagarbė Laidė

Garsas apie Laidę pasklido iki pat Azijos. Turtingasis Demostenas įsiprašė pas ją į svečius ir Atėnuose visiems papasakojo, kiek tai jam atsiėjo. Nuo pasisekimo apsvaigusi Laidė ėmė girtis galinti suvilioti visus vyrus – jei ne grožiu, tai protu. Todėl Aristipas nusprendė jai įrodyti, jog reikia būti kuklesnei. Keliuose dokumentuose apie tai pasakojama įdomi istorija. Rašoma, jog Aristipas pasakė Laidei pažįstąs vyrą, kuris įstengtų atsilaikyti prieš jos žavesį. Laidė išsyk susilažino su filosofu, kad jai pavyks jį suvilioti. Aristipas atvedė pas ją Ksenokratą, griežtą, savo jausmų niekada nerodantį vyrą, ir paliko juos vienus.

Laidė pasiūlė Ksenokratui atsisėsti šalia ir ėmė girti jo dorybes. Tačiau filosofas pareiškė, kad pagyrimai jam nedaro jokio įspūdžio. Tada Laidė prakalbo apie meilę, grožį, žavesį ir laimę, kurią gali suteikti moteris. Filosofas prisipažino, kad grožiui ir žavesiui jis abejingas. Jo nuomone, meilė tėra brangiai kainuojantis ir jam visai nereikalingas žaislas. Tikrąją laimę suteikia ne moterys, o išmintis, kurios jis be perstojo siekia. Laidė jam atsakė, kad Aristipas išmintį surado gyvenimo džiaugsme.

Filosofas paaiškino einąs kitu keliu ir padarysiąs viską, kad tik atrastų tiesą. Vis dėlto Laidė pakvietė jį apsilankyti jos vakarėliuose, nes jis galėtų daug ko pamokyti. Bet Ksenokratas ir vėl atsisakė. Jis mandagiai atsakė Laidei, kad pokalbiui apie filosofiją ji turinti pasikviesti Sokratą, Demostenas papasakotų apie iškalbą, o Aristotelis – apie gyvenimo malonumus. Tada Laidei kilo mintis parodyti Ksenokratui veidrodį, kurį jai padovanojo Demostenas.

Ksenokratui veidrodis patiko. Laidė užsiminė, kad šis veidrodis panašus į žmogų – iš išorės gražus, o viduje niekingas.

Suintriguotas filosofas paprašė patikslinti, ką ji turinti omenyje. Laidė ėmė maivytis. Ji pažvelgė į veidrodį, pasakė, kad jis padidina jos burną, iškreipia jos veido formą. Susierzinęs Ksenokratas atkirto, kad ji galinti jį išmesti. Iš tokio daikto nesą jokios naudos. Laidė jam atšovė, kad veidrodis labai brangus. Tada filosofas savo nuomonę pakeitė.

– O ką jūs manote apie Demosteną? – paklausė Laidė.

– Jam reikėjo įteikti jums naudingesnę dovaną ir nešvaistyti pinigų.

Laidė papriekaištavo dėl jo atvirumo.

– Aš noriu būti garbingas ir atviras, – atsakė Ksenokratas.

Tada Laidė pradėjo pokalbį apie dailę, kadangi žinojo, jog Ksenokratas buvo studijavęs dailės meną. Ji pasiteiravo, ką jis mano apie jos drabužius ir segę, prilaikančią jos suknelę. Paskui ėmė klausinėti apie savo išvaizdą.

– Kaip jums patinka mano kojos?

– Jos tokios pat kaip ir kitų moterų, – šaltai atsakė Ksenokratas.

Laidė nenusileido ir paklausė, kaip jis vertina jos perlų vėrinį ir deimantais nusagstytas apyrankes. Uždavinėdama klausimus filosofui, ji pamažu nusirenginėjo, atidengdama įvairias savo kūno vietas. Filosofas tylėjo, o Laidė ėmė klausinėti dar primygtiniau. Ji norėjo sužinoti, ar Skopas nepadarė klaidų, kurdamas savo Venerą. Ji paleido savo vešlias garbanas, šiek tiek apnuogino krūtinę, pro audeklą persišvietė krūtys. Bet Ksenokratas liko šaltas kaip akmuo. Jis paragino Laidę prisidengti apnuogintą kūną. Neklausydama Laidė prisiartino ir prisipažino, kad dega iš meilės.

– Negi negirdite, kaip plaka mano širdis?

– Jūs greičiausiai sergate! – atsakė filosofas.

Laidė jam atkirto, kad vienintelė priežastis – meilė ir kad jo artumas ją jaudinąs. Tada Ksenokratas pasisiūlė išeiti. Laidė paprašė pažvelgti jai į akis, į jos šypseną ir paklausyti, ką ji sako.

– Argi nematote, kokia būčiau laiminga, jei mane mylėtumėte?

Ksenokratas prisipažino, kad nesupranta, ko jai iš jo reikia, ir kad temato moterį, kuri neriasi iš kailio, siekdama jį įtikinti. Įsižeidusi Laidė piktai atšovė, jog tikrieji filosofai moka atskirti grožį nuo bjaurumo, meilę nuo neapykantos, jie džiaugiasi gyvenimu ir moka jausti, nes kūnas be sielos yra kvailas ir nereikalingas, ir išėjo iš kambario. Vis toks pat abejingas Ksenokratas atsistojo; Laidės žodžiai jam nepadarė jokio įspūdžio.

Gretimame kambaryje pokalbio klausęsis Aristipas, patenkintas savo pavykusiu sumanymu, juokdamasis nubėgo pas Laidę ir pareiškė laimėjęs lažybas: iš tikrųjų esti jos grožiui abejingų vyrų. Įsižeidusi Laidė nė girdėti nenorėjo apie pralaimėjimą. Ji pareiškė galinti suvilioti vyrus, o ne statulas. Tačiau po kurio laiko pripažino, kad lažybas laimėjo Aristipas.

II

GAUSŪS GERBĖJAI

Euripidas ir Laidė

Laide žavėjosi ir dar vienas menininkas – skulptorius Mironas. Vieną dieną jis nusprendė pakviesti Laidę ir keletą jos draugų į svečius. Kadangi lankytojai buvo neeiliniai žmonės, Mironas namus išpuošė gražiausiomis gėlėmis, iškvėpino geriausiais kvepalais, nusamdė gražiausias moteris, nupirko brangiausių baldų ir auksinių indų.

Išliko rašytojų pasakojimų apie tą vakarą. Kai tarpduryje pasirodė įspūdingoji Laidė, užgrojo muzikantai. Moteris buvo pasodinta garbingoje vietoje. Ji dėvėjo paprastą suknelę, plaukus buvo kukliai susukusi į kuodą, o sruogas papuošusi perlais ir auksu. Mironas pakėlė taurę už Laidės grožį. Visi svečiai pasekė jo pavyzdžiu, išskyrus Euripidą. Kai kurie, nustebinti tokio abejingumo, ėmė jam priekaištauti. Bet dramaturgas visai neatrodė sužavėtas.

Kol tarnaitės dalijo gėlių vainikus, o vaikinai pildė vyno taures, visi susispietė aplink Laidę.

– Niekas neatsispiria Laidei, kuri prilygsta Afroditei, – tarė akivaizdžiai sužavėtas Mironas.

Kažkas paprieštaravo, kad Euridipas mano kitaip.

Mironui priėjus prie poeto, šis pareiškė, kad atėjo padiskutuoti su filosofais, o ne su moterimis. Tada Laidė priminė Euripidui, kad Sokratas visada buvo kilniaširdis, nors turėjo vaidingą žmoną.

– Kaip drįsti mane mokyti? – atkirto Euripidas.

Susirinkusieji Euripidą apipylė priekaištais – jis jau keletą kartų išsiskyręs, mušė pirmąją žmoną, nors ši buvo labai maloni, ir nesugebėjo antrajai žmonai dovanoti vaikų, kurių ji taip troško. Euripidas supyko, bet tada jam buvo priminta, kad Sokratas puikiai mokėjo valdytis. Laidė tvirtai pareiškė, kad jis akivaizdžiai nemoka mylėti moterų. Tada Euripidas pažvelgė į ją su tokia panieka, kad ji netgi sutriko.

– Tu nenori girdėti priekaištų, o tai filosofui garbės nedaro, – tarė jam Laidė. – Tu niekini tokias moteris kaip aš, o juk Aspasija irgi duodavo patarimų Perikliui. Kodėl manai, kad moteris reikia uždaryti ginekėjoje? Mes irgi turime teisę į laisvę. Aš mokiausi iš Leontidžio, kuris meilę supratо kaip sielos grožį. Kadangi taip nekenti moterų, gal galėtum mums pasakyti, kaip tu į jas žiūri?

Susierzinęs Euripidas norėjo pokalbį užbaigti, bet susirinkę menininkai primygtinai reikalavo atsakyti.

– Moteris yra motina ir vyro tarnaitė, – atsakė Euripidas. – Ji maitina vaikus ir neturi išeiti iš namų. Kitos moterys, tos, kurios dalyvauja pokyliuose, kurios jus gundo ir kaitina jausmus, tėra niekingos prostitutės, o jūs neverti būti vyrais.

Pasipiktinęs vienas paauglys puolė Euripidą. Šventė virto tikromis muštynėmis, o Laidė nusprendė vėl tarti žodį.

– Tu mus keiki, nes esi nusivylęs savo dvejomis vedybomis. Tačiau tavo motinai būtų gėda tavęs klausytis!

Diogenas ėmė ploti ir patarė Euripidui grįžti prie savo eilių. Laidė buvo vainikuota už iškalbą ir protą. Kitą dieną ji pasidomėjo, kaip gyvena Euripido motina ir seserys. Sužinojusi, kad jos labai skursta, Laidė nusiuntė drabužių, pinigų ir įvairiausių daiktų. Tačiau ji kilniaširdiškai leido moterims manyti, kad šias dovanas joms siunčia Euripidas.

Arsambis

Vieną dieną į Korintą atvyko didingas princas, apsisiautęs raudonu brangakmeniais nusagstytu apsiaustu. Jis dažnai aplink save mėtydavo auksines monetas. Aukštu, lieknu Sardžių princo sūnumi Arsambiu žavėjosi visos moterys.

Nustebęs, kad Laidė neatsako į jo kvietimą, Arsambis nusiuntė į jos namus pasiuntinį su dovanomis susitarti dėl susitikimo. Laidė pasiuntinį ketino išvaryti, bet šis primygtinai aiškino, kad būsimasis satrapas ją įsimylėjo. Pagaliau Laidė sutiko priimti princą ir įsakė paruošti sodus bei pavėsinę. Jos paliepimu įvairiose parko vietose netgi grojo muzikantės. Pati Laidė laukė svečio prabangiame, gėlėmis išdabintame soste. Ją supo pusnuogės merginos.

Arsambį pasitiko jauna graikė ir nuvedė pas šeimininkę. Vyras suklupo Laidei po kojomis ir pagarbino ją tarsi Afroditę. Jis prisipažino, kaip stipriai ją myli. Bet Laidė atsakė, kad brangina savo laisvę ir nenori jokio šeimininko. Tačiau pakvietė jį vakarienės ir pristatė draugams kaip savo naująjį meilužį.

Aristipas užleido savo vietą Arsambiui, ir šis prisidėjo prie puotaujančių filosofų. Išgėrę, pasigrožėję šokėjomis ir iki valiai prisišnekėję, svečiai ėmė bendrauti su šokėjomis.

– Čia labai tvanku. Eime į sodą, – tarė Arsambiui Laidė. – Nepamiršk, aš tave pakviečiau vakarienės, o dabar tavo eilė pakviesti mane į Sardes.

Proga nuvykti į Sardes pasitaikė po kelių dienų. Satrapas įsakė sūnui grįžti. Laidė paliko Bakchiui prižiūrėti namus ir išvyko su Arsambiu. Keliaudami jie sustojo Efese. Kadangi netrukus turėjo prasidėti šventės deivės Dianos garbei, efesiečiai paprašė Laidę savo grožiu pagarbinti deivę. Tą proga ji gavo daugybę dovanų.

Naujas gyvenimas

Arsambis iškėlė šventę Laidės atvykimo į Sardes proga. Džiūgaujanti minia šiltai sutiko korintietę. Ja susižavėjo ir satrapas bei jo dukros. Keletą dienų Laidė mėgavosi šokiais, dainomis, akrobatų triukais, spektakliais. Satrapo sūnus jai padovanojo šimtus tarnaičių, šokėjų, muzikančių ir palydovių. Pokyliuose jiems patarnaudavo daugiau nei tūkstantis tarnų.

Apsvaigusi nuo tokios prabangos, didybės ir dovanų, – nes Korintas nė iš tolo negalėjo prilygti Sardėms, – Laidė savo įspūdžius aprašė laiškuose bičiuliams filosofams. Ji buvo tiek visko pertekusi, kad ėmė nuobodžiauti. Dar niekada ji neturėjo tokio atidaus, tokio dosnaus meilužio, pasirengusio įvykdyti menkiausią jos užgaidą. Ji privalėjo labai apgalvoti savo žodžius, nes būsimasis satrapas kaipmat puldavo vykdyti jos pageidavimus. Moterys, supdavusios Laidės sostą per šventes, prabangūs rūmai, monetų kupinos skrynios, kurias jai dovanodavo satrapas, pranoko vaizduotę. Žmonės Laidę labai mėgo, nes ji dosniai dalydavo pinigus. Pagaliau Laidei atsibodo būti garbinamai kaip karalienei bei matyti kaskart po kojomis suklumpančius vergus. Ji panoro atgauti laisvę ir grįžti į Korintą. Moteris sukūrė planą, kaip pabėgti iš Lidijos sostinės, neįžeidžiant šeimininko. „Jis pats panorės mudviejų išsiskyrimo", – rašė ji savo draugams. Bet Arsambiui ji toli gražu nebuvo pabodusi.

Audringa kelionė

Be abejo, Laidė Sardėse pasiliko ilgiau, nei buvo numačiusi, nes kad ir kaip ji stengėsi, kad Arsambis pradėtų jos nekęsti, šis jai netgi pasipiršo. Atgal į Korintą Laidė išplaukė tik po metų. Kelionė buvo sunki, – kilusi audra privertė sustoti Sunijuje. Graikai rengėsi šventėms Eleusine. Laidę dar kartą išrinko moterimi, kuri garbins deivę. Ji iškeliavo su šaukliais, atvykusiais į Sunijų paskelbti švenčių pradžios, ir Dianos šventykloje praleido kelias dienas. Žynys, išsivežęs ją su savimi, ėmė jai meilintis ir žadėti turtus bei titulus. Laidė jam priminė, kad jis dievybei yra davęs dorumo ir skaistumo įžadus.

Bet visus savo įžadus pamiršęs hierofantas* prisipažino degąs iš meilės ir gėlėmis išpuoštame vežime išgabeno Laidę į Atėnus. Niekas negalėjo jos matyti. Deglais nešini graikai lydėjo kortežą. Kartkartėm vežimas sustodavo, ir merginos ant žemės barstydavo rožių žiedlapius. Žyniai degindavo smilkalus. Muzikantės grodavo, šokėjos šokdavo, o graikai šaukdavo. Trimitai duodavo ženklą pradėti šventę.

Vienas karvedys atpažino Laidę ir priėjo pasisveikinti. Jos akyse jis išvydo didžiulę neviltį. Tuo metu, tarsi patys dievai būtų siuntę pagalbą, nukrito vienas vežimo ratas. Laidė iškrito ant žemės ir susižeidė. Karvedys puolė prie jos. O Laidė ėmė maldauti pagalbos.

– Jei nesugalvosi kokios gudrybės, aš žuvusi! – tarė ji. – Mane paaukos!

---

* Hierofantas – Eleusino misterijų žynys.

Karvedys nubėgo prie jūros, prisakė laivo kapitonui laukti, paskui grįžo pas Laidę, kurią, einančią prie aukuro, šūksniais sveikino minia. Pagaliau Laidė buvo nuvesta į namą, kuriame turėjo apsistoti kelioms dienoms. Moteris pareikalavo, kad karvedys liktų su ja.

– Jei nevykdysite mano norų, jums nutiks nelaimė! – pareiškė ji žyniui.

Hierofantas nusileido, bet prie durų pastatė du sargybinius. Karvedys Laidei papasakojo savo planą:

– Apsigaubk mano vergo apsiaustu ir eik su manimi. Vietoj tavęs pasiliks mano tarnas. Sargybiniui pasakysiu, kad užmigai ir kad tavęs netrukdytų.

Karvedžiui su Laide pavyko įsėsti į laivą ir išplaukti. Kai kitą rytą žynys atėjo aplankyti Laidės, sargybiniai jam pasakė, kad ši dar miega. Hierofantas grįžo dar kelis kartus, kol galų gale atidarė duris ir išvydo generolo tarną. Įsiutęs žynys liepė jį mirtinai nukankinti, bet šis paslapties neišdavė. Nenorėdamas susitaikyti su pralaimėjimu, hierofantas, pažadėjęs aukso ir dovanų, pasiuntė karius vytis pabėgėlių.

– Niekada niekam nepasakok, kas man atsitiko, – tarė Laidė karvedžiui. – Bijau, kad šis pabėgimas atneš man nelaimę.

Karvedys visaip ją tikino neišlipti Korinte:

– Korinto gyventojai gali pasirodyti tokie pat žiaurūs kaip ir Atėnų. Bėk kuo toliau!

Bet Laidė norėjo vėl pasimatyti su korintiečiais. Todėl apie savo sugrįžimą pranešė visiems draugams, o šie ją sutiko džiūgaudami iš visos širdies. Laidės garbei buvo iškelta didžiulė puota. Bakchis kaip anksčiau išpuošė jos sodus ir namus. Jos statula buvo pastatyta pačioje Afroditės šventykloje. Laidė nusprendė surengti tokį didelį pokylį, kad žinia apie tai pasklido daugelyje Graikijos miestų.

Tačiau Laidę atpažino Eleusino šauklys. Nekreipdama į tai dėmesio, Laidė su keliomis moterimis nuėjo į Afroditės šventyklą. Ant galvos ji turėjo gėlių vainiką, rankoje – miros šakelę, buvo kukliai apsirengusi, palaidais plaukais. Su ja ėjusios moterys nešė gėlių krepšelius.

Laidė pagarbino deivę, ant aukuro padėjo gėlių vainiką ir padeklamavo poemą. Žynė širdingai jai padėkojo. Minia plojimais sutiko Skopą, sukūrusį korintietės statulą. Po ceremonijos pavargusi Laidė prigulė pailsėti viename šventyklos kambarių. Naktį grįžtančią namo ją užpuolė plėšikų gauja, bet užpuolikai turėjo sprukti nieko nepešę.

Karvedys ėmė priekaištauti Laidei už tai, kad naktį ėjo per mišką. Norėdamas sužinoti, kas ją užpuolė, jis pradėjo klausinėti vieno iš plėšikų, gulinčių ant žemės. Bet atsakymo negavo ir nusprendė, kad bus protingiau palydėti Laidę namo. Ši maldavo pasilikti su ja ir saugoti jos namus. Tada karvedys paprašė Laidės tekėti už jo.

– Man užtenka tavo meilės, – atsakė jam Laidė.

Diagoro istorija

Žinodamas, kad Korinte Laidei gresia pavojus, karvedys siekė ją apsaugoti. Ištekėjusi ji būtų saugi. Tačiau Laidė šia mintimi visai nesižavėjo, todėl karvedys nusprendė jai papasakoti Diagoro Meliečio, didžiųjų filosofų mokinio, istoriją. Šis Atėnuose gyvenęs filosofas troško daugiau sužinoti apie Eleusino misterijas ir nusprendė tapti įšventintuoju.

Po neįtikėtinų apeigų, kurių metu buvo tikrinama vyrų ištvermė, Diagoras paklausė, kodėl reikia šitaip bandyti būsimųjų įšventintųjų drąsą.

– Nes jie turi būti pakankamai stiprūs, kad neatskleistų mūsų paslapčių kitiems, – atsakė žynys.

– Tai juokinga! – nusistebėjo Diagoras. – Juk gerus dalykus turi žinoti visi.

Bet žyniai jam atsakė, kad liaudis kvaila ir lengvai pasiduoda įtakai. Geriau jau Eleusino šventes apgaubti paslapties skraiste. Diagoro šie žodžiai neįtikino, ir jis grįžo į gimtąją salą. Eleusino žyniams tai nepatiko, todėl buvo sušaukti heliastai*. Jie nuteisė Diagorą mirti. Sužinojęs, kad yra ieškomas, Diagoras paklaūsė vieno draugo patarimo ir pabėgo. Smarki audra vos nepaskandino jo laivo. Kartu su juo plaukę graikai nusprendė, kad Diagoras užtraukė dievų pyktį ir kad juo reikia kuo greičiau atsikratyti. Gudruolis Diagoras tarė, rodydamas kitus laivus:

– Šie laivai irgi gali paskęsti, o juk juose Diagoro nėra!

Tačiau šie gražūs žodžiai nepadėjo: graikai jį puolė. Tuo metu audros mėtomas laivas užplaukė ant rifų. Žuvo visi, išskyrus Diagorą. Šis ėmė burnoti prieš Poseidoną.

– Visi maldavo tavęs pasigailėti, Poseidonai, – tarė jis, išplaukęs į krantą. – Aš vienintelis tavimi netikiu, ir likau gyvas!

Diagoras nukeliavo į Abderus, kur tikėjosi susitikti su buvusiu mokytoju Demokritu. Bet prie miesto sutiko savo draugą Timokratą. Šis patarė jam pasislėpti jo name Makedonijoje. Draugas pažadėjo paskleisti gandą, kad Diagoro laivas sudužo ir kad jo nebėra tarp gyvųjų.

– Abderų gyventojai pernelyg apsidžiaugtų proga gauti pažadėtąjį atlygį. Tu čia negalėtum užimti jokių aukštų pareigų.

Timokratas paslėpė draugą kalnuose, kur pastatydino jam namelį. Jis netgi padovanojo vieną vergą. Besislapstantis Dia-

---

* Heliastai – Atėnų liaudies teismo – heliacijos – nariai.

goras leido dienas rašydamas knygą apie religijos kvailumą, dievų trūkumus ir žynių, kuriuos vadino despotais, žiaurumą. Jis išjuokė visas dievybes – nuo Dzeuso iki Poseidono, kliuvo ir Herai, Hefaistui, Apolonui, Artemidei, Arėjui, Afroditei, Hermiui, Dionisui, mūzoms...

Diagoras labai drąsiai išsakė tai, ką daugelis graikų tik pagalvodavo. Bet jis visą gyvenimą nugyveno vienas. Filosofas parašė ir kitų kūrinių apie dievų nemirtingumą ir juos garbinančių žmonių kvailumą. Jis taip pat išjuokė prietarus ir kaltino šventikus. Jo knygos buvo sunaikintos. Tik Timokratas išsaugojo vieną egzempliorių. Diagoras atskleidė ir visą Eleusino misterijų absurdiškumą.

Išgirdusi šią istoriją, Laidė nusprendė paklausyti karvedžio. Ji pažadėjo išvykti su juo į kitą miestą ir maldavo ją apsaugoti. Ji visai nenorėjo susilaukti tokio pat likimo kaip Diagoras.

Fantazijos ar tikrovė?

Kiek tiesos šiose įvairiose istorijose, kurias sukūrė XIX amžiaus autoriai, rėmęsi antikos rašytojais? Laidės asmenybė įkvėpė kurti gražius pasakojimus, susipynusius su epinėmis istorijomis. Gerai žinoma, kaip tuo metu gyveno heteros; į pokylius rinkdavosi žymūs filosofai, garsėję savo teorijomis ir charakteriu; o Laidės gyvenimas kartais panašus į pasaką, kurioje gausu nuotykių: pagrobimų, smurtinių mirčių, pasikėsinimų, atstumtų mylimųjų... Daugybė dalykų, leidžiančių sukurti nuostabų pasakojimą apie žavingą moterį.

Yra manančiųjų, jog Laidė buvo parduota Korinto turguje, vos atvykusi į Afroditės miestą. Ji atkeliavusi iš Sicilijos, kur praleido vaikystę. Ji buvusi deivės šventyklos vergė, o į atėniečių aukštuomenę pateko dailininko Apelio dėka. Šis menininkas ją išgarsinęs.

Laidė buvo talentinga šokėja. Be to, kaip ir Aspasija ar Frinė, ji puikiai dainavo ir buvo gera akrobatė. Kai kurių autorių teigimu, Laidę kiekvienais metais dviem mėnesiams nusamdydavo filosofas Aristipas. Jis išsiveždavo kurtizanę į Eleusiną ir kartu su ja dalyvaudavo Poseidonijų šventėje. Laidei akivaizdžiai patiko šios išvykos, bet Aristipas žinojo, ką jinai iš tiesų jam jaučia. Filosofas dažnai sakydavo, kad mėgsta Laidės draugiją, nors ši jo ir nemyli. Heteros tebuvo malonios bičiulės, kurias viliojo pinigai. Todėl filosofas pridurdavo: „Nemanau, kad vynas ar žuvys mane myli, tačiau aš mielai juos vartoju!"

Ar Aristipas tikrai mylėjo Laidę ir ar ši jam atsakydavo tuo pačiu? Ar jiedu dažnai susitikdavo per Laidės rengiamus pokylius? O gal jie matydavosi tik tada, kai Aristipas oficialiai nusamdydavo heterą? Galbūt Laidė buvo didesnė savanaudė, negu mano kurtizane susižavėję rašytojai? Ar dramatiški įvykiai Eleusine nutiko iš tikrųjų, žinant, kad Laidė greičiausiai dažnai lankydavosi tame mieste ir buvo gerai žinoma, nes rodydavosi kartu su garsiuoju filosofu?

Kad ir kaip ten buvo, Laidei, kaip ir kitoms heteroms, atrodo, patiko būti nusamdytai mėnesiui ir keliauti kartu su įžymiais vyrais. Pas Laidę apsilankę svetimšaliai, be abejo, pasiūlydavo jai kurį laiką pasisvečiuoti jų mieste ar šalyje. Kai kurios heteros tokiu būdu aplankė salas ir Aziją. Kaip ir daugelis kurtizanių, Laidė niekada neatsisakydavo progos nukakti į kitus kraštus, ypač jeigu jai gerai sumokėdavo. Jos užgaidos ar atsisakymai, kuriuos kartais akcentuoja autoriai, atrodo keisti ir abejotini.

Jeigu Laidė tikrai būtų gavusi palikimą, ji būtų galėjusi leisti sau daugžodžiauti ir aikštytis. Tačiau ji turėjo pagalvoti ir apie senatvę. Daugelis heterų gyvenimą baigdavo didžiausiame skurde. Visų atstumtos, viską praradusios, jos mirdavo vienišos ir apleistos.

Epikratas, kurį cituoja Atėnajas (XIII, 570 b), savo kalboje *Prieš Laidę* piešia nekokį kurtizanės paveikslą. „Ji nuolatos, – rašo Epikratas, – būdavo girta ir tinginiaudavo. Jos niekas daugiau nedomino, tik vakarienė ir vynas. Ji buvo tarsi grobuonis, sugriebiantis auką ir nusinešantis į savo olą, kad ten surytų. Pasenę plėšrieji paukščiai atskrenda prie dievų šventyklų. Jie alkani, nes nebėra tokie vikrūs, kad pagautų grobį. Kartais jų pasirodymą aiškina kaip likimo ženklą. Kai Laidė buvo turtinga, pasimatyti su ja buvo neįmanoma. Lengviau buvo susitikti su pačiu satrapu Farnabazu. Dabar, kai senstelėjo, o kūnas nebėra toks gražus, pasimatyti su ja – paprasčiau nei nusispjauti. Ji vaikštinėja visur. Jai tinkamas užmokestis – ir auksas, ir trys obolai. Ji atsiduoda tiek seniems, tiek jauniems, ir jau tokia paklusni, kad net sutiktų valgyti tau iš delno!"

Kokia išvada peršasi, perskaičius šį aprašymą? Ar Epikratas nekentė Laidės, ar buvo objektyvus? Graikai toli gražu nebuvo atlaidūs senstančioms heteroms ir eilėse dažnai išjuokdavo jų bjaurumą, nuvytusį grožį ir raukšles. Galbūt Epikratas tiesiog sekė tradicija.

Kiti rašytojai netgi tvirtina, jog Laidę dar jaunystėje nužudė pavydžios moterys. Tesalietės nutempusios ją į Afroditės šventyklą ir mirtinai sumušusios. Tikra tiesa, kad heteros kartais užsitraukdavo žmonų pyktį, tačiau šios retai imdavosi tokių griežtų priemonių. Laidės epitafijoje primenama, kad visi graikai, išdidūs ir sugebantys atsilaikyti prieš persus, buvo Laidės grožio vergai. Ją pagimdė Erotas, o Korintas išmaitino. Ji ilsėjosi Tesalijos lygumose. Laidė paskatino meno vystymąsi ne

tik Korinte, bet ir Atėnuose. Ji buvo Apelio mūza, kaip Frinė –
skulptoriaus Praksitelio.

Romėnų poetas Propercijus irgi prisimena, kaip didžiausios
Laidės šlovės metu graikai spiesdavosi prie jos durų. Tačiau,
priduria jis, dar daugiau meilužių laukia prie jo paties meilu-
žės durų. Šiose eilėse jis mini heterą Frinę, turėjusią daugybę
meilužių, ir Taidę, iš griuvėsių prikėlusią Tėbus, kad įeitų į
istoriją.

III

ĮKALINTOJI LAIDĖ

Atsisveikinimo vakarienė

XIX amžiaus autoriai taip pat aprašo Laidės išvykimą iš Korinto bei padarinius, kuriuos naujasis gyvenimas turėjo jos tolesniam likimui.

Prieš išvykdama iš Korinto, Laidė nusprendė iškelti didelę puotą, į kurią susirinko turtingiausi ir talentingiausi menininkai bei mokslininkai. Jie suvažiavo iš Atikos, Peloponeso, salų ir užsienio šalių. Šia proga Laidė liepė ištraukti gražiausius indus ir visus brangius daiktus, kuriuos jai kada kas buvo padovanojęs. Sodai buvo papuošti. Pati ji sėdėjo šalia Aristipo, Mirono ir Skopo.

Po to, kai visi svečiai nuliejo vyno, aukodami dievams, pasirodymą pradėjo šokėjos ir muzikantės. Dainininkės užtraukė dainą Laidės garbei, kviesdamos susirinkusiuosius iki aušros šlovinti meilę ir vyną.

Paskui prasidėjo diskusijos. Laidė nusistebėjo, kad nėra Diogeno, ištikimo jos draugo, ir vienas svečias pasakė matęs jį su Platonu. Visi nustebo, nes žinojo, kaip stipriai Diogenas nekenčia Platono. Tada svečias papasakojo, kaip Diogenas išjuokė Platoną. Nepatikliems klausytojams jis pranešė, kad Platonas siekė sugalvoti žmogaus apibrėžimą, nes visi kiti anksčiau pateikti apibrėžimai jo netenkino. Po ilgų apmąstymų Platonas staiga pareiškė, kad žmogus – tai „dvikojis padaras be plunksnų". Diogenas pagavo gaidį, nupešė jį ir atnešė Platonui, o jo mokiniams pasakė, jog atnešė žmogų, atitinkantį jų mokytojo sugalvotą apibrėžimą.

Užsimezgė ilgas pokalbis apie Platono privalumus ir trūkumus. Tačiau kai atsibodo keistis nuomonėmis, svečiai nusprendė užsiimti linksmesniais dalykais ir pamiršti Platoną – liūdną ir griežtą žmogų. Mironas uždainavo. Aristipas aukštino gyvenimo malonumus, o susirinkusieji jį karštai palaikė.

– Ar žinote, kad vieną dieną Aristipas kaip reikiant buvo pavaišintas lazda? – paklausė turtingas bankininkas.

– Šios istorijos negirdėjau, o juk maniau, kad apie Aristipą žinau viską, – atsakė Laidė.

– Tai tiesa, – prisipažino Aristipas. – Man teko atlaikyti Sirakūzų tirono Dionisijo įniršį, nes susiginčijau su juo dėl vieno patiekalo skonio. Mano nuomone, patiekalas buvo labai gardus, o jo – ne. Tai man buvo gera pamoka: niekada nereikia prieštarauti stipresniam už tave! Bet už šį ginčą aš jam greitai atleidau, nes jau kitą dieną valgiau kartu su juo!

Tada pokalbis pasisuko apie Aristipo ir bankininko potraukį į pinigus. Vieni gynė Aristipą, mokantį leisti pinigus, ir peikė bankininką, rakinantį juos skryniose. Kiti teigė, kad Aristipas pinigus mėgsta lygiai taip pat kaip ir bankininkas. Tada Laidė užstojo savo draugą. Ji papasakojo, kaip vieną dieną Aristipas pareiškė savo vergui, ant nugaros nešusiam sidabrinių monetų maišus: „Išmesk viską, kas tau atrodo pernelyg sunku!"

– Aš netgi mačiau, kad Aristipas paskolino draugams pinigų, nors jam pačiam jų reikėjo! – pridūrė Laidė.

Svečiai nenusileido ir priminė, kad Aristipas pernelyg nuolankus ir paklusnus tironams. Į tai Laidė atsakė:

– Vieną dieną Aristipas ėmėsi ginti Platono draugo, nuteisto myriop. Jis netgi puolė Dionisijui Sirakūziečiui po kojomis, maldaudamas jį išklausyti. Dvariškiai ėmė šaipytis, nes manė, kad tokioje padėtyje jis atrodo apgailėtinai. „Taip darau todėl, kad Dionisijo ausys yra ties jo kojomis", – atšovė nė kiek nesutrikęs Aristipas. Šiuo sąmoju jam pavyko išlaisvinti pasmerktąjį ir laimėti Dionisijo draugystę.

Tai išgirdę, Skopas ir Mironas širdingai pasveikino Aristipą. Bakchis paprašė karvedį padainuoti. Šis išgyrė mylimos moters žavesį. Laidė taip pat uždainavo ir išaukštino mokėjimą suvaldyti savo troškimus.

– Demostenas neteisus, teigdamas, kad Laidės namai nėra filosofijos buveinė. Mes čia gauname tokių išminties pamokų!

Tada svečiai ėmėsi šaipytis iš Demosteno godumo: vergus jis versdavo dirbti dešimt valandų per dieną. Demostenas neseniai buvo nuteistas, ir daugelis apgailestavo, kad toks protingas žmogus yra pasmerktas tokiam vargingam gyvenimui.

– Laidė kilnesnė už Demosteną, nes suteikia laisvę savo vergams ir tampa jų bičiule!

Tada visi sušneko apie godųjį Kaliją ir puotoje dalyvaujantį bankininką, kuris esą apiplėšęs daugelį piliečių. Mironas pareiškė, kad Laidės išvykimo proga suteikė laisvę keletui savo vergų.

– Prieš išvykdama į Sardes, Laidė norėjo dovanoti laisvę visiems savo vergams, – priminė Aristipas, – bet jie visi nusprendė ir toliau jai tarnauti! Ką į tai pasakysite?

– Kilniosios Laidės garbei reikia pastatyti statulą, o dar vieną statulą, šlovinančią jos grožį, padovanoti jai pačiai, – atsakė generolas.

Pasigirdo iš lauko sklindantys balsai, ir Laidė pasiteiravo, kas ten vyksta.

– Tai tik elgetos, kuriuos priviliojo mūsų šventė, – atsakė tarnaitė. – Tuojau juos išvaikysime.

Laidė nesutiko ir įsakė juos atvesti. Prie jos prisiartino motina su vaikais. Jie vedėsi ir aklą senelį. Jų tėvą buvo sužeidę spartiečiai. Laidei kilo mintis paimti pintinę ir perleisti ją per draugų rankas. Pati ji įmetė vieną talentą. Paskui svečiai pakilo nuo stalo ir perėjo į didžiąją salę pasižiūrėti menininkų pasirodymo. Laidė su karvedžiu pasitraukė atokiau; šis prisipažino ją mylįs.

– Argi protinga mylėti heterą? – paklausė Laidė.

– Aš nelaikau tavęs hetera, – atsakė karvedys.

Prie jų priėjo teisininkas, jis norėjo su karvedžiu aptarti vieną rimtą reikalą. Tuo tarpu Laidė kalbėjosi su pasiuntiniu, atnešusiu jai laišką. Jai rašė labai įtakingas gerbėjas: „Tau pavyko nuo manęs pabėgti, kai buvau tave pagrobęs. Bet tu vis tiek būsi mano".

Supykusi Laidė nesutiko atsakyti ir pasiuntinį išvarė. Netrukus į namus įsiveržė būrys kareivių ir ją suėmė.

Laidės teismas

Įkalintą Laidę aplankė karvedys. Jis ketino surengti jos pabėgimą, tačiau Laidė atsisakė. Ji norėjo stoti prieš teisėjus ir būti išteisinta.

– Ar žinai, kas atsiuntė tau tą paslaptingą laišką ir tave įkalino?

– Eleusino hierofantas.

Nepaisydama generolo įtikinėjimų, Laidė laukė teismo. Įsisupusi į baltą šydą, lydima sargybinių, ji įžengė į teismo salę.

Teisti turėjo pritanai*. Prie kalėjimo durų Laidę pasitiko visi jos draugai ir ėjo kartu su ja. Bet pritanai visus mokslininkus išvarė. Su Laide liko tik karvedys, oficialus jos advokatas.

– Tu kaltinama nepagarba dievams ir kenkimu žmonėms, – pranešė teisėjai Laidei. – Tu gali būti pasmerkta myriop. Turi valandą gynybai. Kas tavo gynėjas?

Karvedys atsistojo. Jo priešininkas buvo jam nepažįstamas žmogus, irgi dalyvavęs Laidės pokylyje ir teisme atstovaujantis Eleusino hierofantui. Prasidėjo ilgi debatai. Tuo metu, išlaužęs duris, į vidų įsiveržė Diogenas. Nors teismo pirmininkas nenorėjo jo klausyti, jis vis dėlto priminė susirinkusiesiems, kas esąs. Diogenas pagyrė teisėjus ir pareiškė, kad po to, kai neseniai siaubingomis aplinkybėmis mirė Sokratas, dar viena teismo klaida būtų nedovanotina. Todėl jis atėjęs pagelbėti teisingumui.

Diogenui nutilus, keli liudininkai pradėjo kalbėti Laidės naudai: elgetos, kuriems Laidė buvo padėjusi, bedarbiai, kuriuos Laidė išgelbėjo iš apverktinos padėties, Veneros šventyklos žynė, patvirtinusi, kad Laidė be galo atsidavusi dievams. Pagaliau karvedys parodė Eleusino žynio laišką ir papasakojo apie jo surengtą pasikėsinimą į mylimiausią Korinto moterį. Kalbos pabaigoje karvedys nutraukė nuo Laidės šydą, ir teisėjai išvydo jos įstabų veidą.

Pritanai išteisino Laidę ir suėmė kaltintoją. Laidė buvo vainikuota. Ji ant rankų buvo nunešta iki Veneros šventyklos, kur pagarbino deivę. Korintiečiai nukaldino medalį, kuriame Laidė buvo pavaizduota pritanų ir paprastų žmonių apsuptyje.

Šis pasakojimas labai primena Frinės teismą. Tada teisėjai irgi neatsilaikė, išvydę jos grožį.

---

* Pritanai – Atėnuose ir kituose miestuose vadinamosios 500 tarybos vykdomojo komiteto nariai.

Pabėgimas

Nepaisant palankaus nuosprendžio, Laidės draugai patarė jai išvykti iš Korinto. Jie tikino, kad Eleusino hierofanto kaltinimas visada terš jos garbę. Jeigu korintiečiai būtų tokie pat prietaringi kaip atėniečiai, jos jau nebebūtų tarp gyvųjų. Laidė paprašė draugų saugoti ją tris dienas. Prieš išvykdama ji norėjo sutvarkyti daug reikalų. Namą ji užrašė Bakchiui ir prisaikdino jį viską prižiūrėti.

– Suteik laisvę visiems mano vergams, išskyrus tuos, kurie norės su tavimi pasilikti. Savo bankininkui esu patikėjusi penkis šimtus talentų. Jis mokėdavo man rentą. Kiekvienais metais skirk ją vargšams, skurstančioms heteroms sušelpti ir namui prižiūrėti. Jei pats sukaupsi santaupų, paaukok jas Venerai. O mane gynusiam Diogenui pastatydink trobelę, nes vaikai sulaužė statinę, kurioje jis miega.

Šitaip Laidei tvarkant reikalus, atvyko visą naktį jos namus saugojęs Diogenas ir pranešė, kad hierofanto siųsti žmonės bandė perlipti tvorą. Jis juos išvijo, bet pats buvo sužeistas. Atvyko ir Euripidas.

– Atkeliavau iš Atėnų, – tarė jis. – Sužinojau, kaip kilniai pasielgei su mano šeimynykščiais. Žinok, Atėnų areopagas ketina prašyti Korinto pritanų tave teisti dar kartą. Bėk, kol neatvyko pasiuntiniai!

Karvedys davė nurodymus. Aristipas turėjo paskleisti gandą, kad Laidė užsidarė Veneros šventykloje. Diogenas turėjo ir toliau naktimis saugoti Laidės namus. Karvedys su Laide rengėsi artimiausiu metu išplaukti.

Naktį Diogeno vyrai buvo užpulti. Kadangi keletas jų žuvo, Diogenas nusprendė bėgti, kad nebūtų dėl to apkaltintas. Deja, jo laivą užpuolė piratai, ir jis buvo parduotas Kseniado vergų turguje.

IV

LAIDĖS REVANŠAS

Laidė Ambrakijoje

Po trijų dienų Laidė su karvedžiu atvyko į Ambrakiją. Žmonės sveikino sugrįžusį karvedį ir aukštino Laidės grožį bei išmintį. Laidei apdainavus Dzeuso nuotykius, Ambrakijos gyventojai ją vainikavo. Jie pasveikino ją kaip savo miesto pilietę ir pažadėjo jos atvykimo į salą proga sukurti marmuro statulą.

Kitą dieną, aidint žmonių sveikinimams, karvedys su Laide susituokė. Visus metus Laidės gyvenimas buvo be galo laimingas. Kaip ir Korinte, ji garsėjo savo pokyliais ir šelpdavo skurdžius. Laidė pagimdė dukrą, kurią pavadino Laidione. Į Ambrakiją pasimatyti su Laide atkeliavo Aristipas su žmogumi, vardu Kleonas. Šis Laidę tiesiog dievino ir tikėjosi jos prielankumo. Laidė pranešė Aristipui apie savo vedybas ir paprašė Kleono išpirkti Diogeną. Aristipui rūpėjo pasikalbėti su Laide, kol iš karo negrįžo jos vyras. Ar ji tikrai mylinti karvedį? Juk ji visada priešiškai žiūrėjo į santuoką! Laidė atvirai atsakė karvedžio visai nemylinti, bet žadanti būti ištikima, nes jis – labiausiai atsidavęs iš visų vyrų.

Aristipas Laidei pranešė, kad teismas nenuteisė Eleusino žynio ir kad Korintas pasitraukė iš Atėnų sąjungos. Tuo metu, kai abu miestai rengėsi karui, mirė hierofantas. Atėniečiams ir korintiečiams nerimą kėlė Epameinondas, Tėbų kariuomenės vadas, siekęs pavergti Spartą ir kurį laiką su kariuomene stovėjęs netoli Korinto. Epameinondas laimėjo mūšį ties Leuktrais, ir atėniečiai vėl pasiūlė buvusiems priešams jungtis į sąjungą.

– Atėniečių moralė vis labiau smunka, – tarė Aristipas, – todėl nusprendžiau grįžti į gimtąjį miestą ir atsidėti filosofijai. O Kleonas ketina įsikurti Korinte. Gal kada ten sugrįši!

– Atėniečiai niekada nejautė dėkingumo, – tarė Laidė. – Mirus Aspasijai, jie nesutiko jos palaidoti Periklio kape. O juk be jos Periklis turbūt nebūtų taip gerai valdęs. Turėjau Aspasijos kūną patikėti vienam iš savo draugų. Iš Atėnų išvykau į Korintą. Netrukus apsilankiau Aiginos saloje. Tuo metu Tėbus buvo užkariavę spartiečiai. Juos išvijo Pelopidas. Tai pikta, žiauri, pasipūtusi ir godi tauta.

Į Ambrakiją atvyko pasiuntinys ir pranešė Laidei, jog ji laukiama Korinte. Korintiečiai prašo ją grįžti. Jie nukėlė jos statulą ir šlovindami nešioja ją miesto gatvėmis. Pritanai liepė jam parvežti Laidę. Šiai užduočiai įvykdyti jam buvo duota šimtas ginkluotų vyrų.

Laidė paaiškino, kad dabar ji ištekėjusi ir be vyro žinios negali priimti jokio sprendimo.

– Nuspręs jis, – tarė ji. – O kol jis grįš, papasakok žmonėms apie spartiečius, kuriuos visi mini, nes tu juos pažįsti, o Ambrakijos gyventojai – ne.

Pasiuntinys mielai sutiko. Kitą dieną jis pasakė ilgą kalbą apie Spartos istoriją, Atėnų papročius, o baigdamas palygino atėnietes su spartietėmis.

– Kur dingo legendinė Lakedaimono moterų drąsa? Kai įsiveržia tėbiečiai, viskas, ką jos sugeba, – tai spygauti ir bėgti! Atėnietės ginekėjoje rūpinasi vyru ir namais. Jos nevaikšto į gimnasiją ir nerodo savo nuogybės. Eidamos į teatrą, atėnietės veidą prisidengia šydu ir apsirengia prideramai. Atėnietės visada švarios, o spartiečių plaukai nuolatos styro susivėlę, tunika susiglamžiusi. Atėnų moterys turi skonį. Jos grakščios ir elegantiškos. Iš namų išeina pasikvėpinusios, vaikšto gracingai, ne taip kaip spartietės, atsiduodančios riebalais, kuriais ištrina plaukus. Spartos moterys – nemokšos, šiurkščios, atžarios ir nemalonios, o Atėnų – švelnios ir mielos. Svetimšaliui Spartoje nesunku po išgertuvių susirasti laisvo elgesio moterį, o atėniečių žmonos neatsiduoda pirmam sutiktajam. Spartietės užmiršta, kad yra ištekėjusios, nes jų vyrai dažnai vyksta į karą. Kartais, jeigu atsinešė didelį kraitį, jos netgi tvarko namus ir įsakinėja vyrui.

Toliau oratorius kalbėjo apie kurtizanes:

– Atėnuose gyvena heteros – moterys, susitikinėjančios su filosofais, išmanančios poeziją, muziką ir traukiančios labiausiai išsilavinusius vyrus. Jos tampa poetų mūzomis ir skulptorių modeliais. Spartoje tokių moterų nėra. Spartietė – gėlės spyglys, o atėnietė – žiedas.

Kleono kalba

Pasiuntinio kalba susilaukė didžiulio pasisekimo, todėl Laidė paprašė Kleono kitą dieną papasakoti apie Atėnus.

– Gerai, – atsakė Kleonas. – Sutinku visų pirma todėl, kad Laidei nieko negaliu atsakyti, be to, man bus malonu papasakoti ambrakiečiams apie Atėnus, šio miesto ydas ir dorybes.

Kleonas priminė, kaip įsikūrė Atėnai. Jis taip pat papasakojo apie jų gyventojus ir perėjo prie moterų, apie kurias kalbėjo pirmasis oratorius. Kleono manymu, atėnietės buvo elegantiškos. Kad ir nelabai gražios, jos moka elgtis draugiškai ir mandagiai, nes yra gavusios puikų išsilavinimą. Kleonas taip pat prabrėžė, kad atėnietės niekur neina iš namų, tik į teatrą, lydimos savo vergų ir prisidengusios veidą.

– Tačiau atėniečiams patinka kurtizanės, tos dikteriadės, kurių vis daugėja. Tik nereikia kurtizanių painioti su heteromis, – pastarosios yra laisvos, lanko filosofijos, poezijos ir iškalbos mokyklas. Visos jos siekia tapti išsilavinusios ir visuomenėje sublizgėti savo protu bei žiniomis. Šios išskirtinės moterys kaip niekas kitas vilioja svetimšalius į Atėnus. Dar daugiau žmonių vyksta į Korintą. Nors ir nėra mylimos savo mieste taip kaip jaunimas, atėnietės turi atrodyti ne tik padoriai, bet ir elegantiškai, privalo dabintis papuošalais. Jų aprangą kontroliuoja dešimt pareigūnų. Nuo dešimtos valandos ryto joms draudžiama vaikščioti po namus nesusišukavusioms ir netinkamai apsirengusioms. Tos, kurios nesilaiko šio įstatymo, baudžiamos tūkstančio drachmų bauda, o jų vardai paskelbiami pagrindinėje aikštėje.

Atėnietės greitai tapo pačiomis elegantiškiausiomis moterimis. Jos pirkdavo brangiausius audeklus ir teatre pasirodydavo su puikiausiais papuošalais. Jos diktavo madas ir taip įprato prie gražiausių tualetų, jog kartais net nuskurdindavo savo šeimą. Nors buvo išleistas įstatymas, skatinantis saikingumą, atėnietės ir toliau atkakliai vaikėsi madų.

Kleonas taip pat paminėjo, kad atėnietės be saiko vartoja tepalus, kremus ir kvepalus.

– Jeigu tik sustorėja, puola gerti vandenį ir valgyti vaisius. Kad atrodytų plonesnės, jos susiveržia juosmenį švininėmis plokštelėmis. Pernelyg liesos moterys ištisą dieną valgo figas ir stengiasi padidinti krūtinę. Jos dažnai geria laisvinamuosius, kad sužadintų apetitą. Jos mėgsta maudytis ir gulinėti. Po šių žodžių Kleonas vėl prabilo apie Atėnų vyrus. Jis papasakojo keletą istorijų apie jų pavydumą. Tuo metu įėjo pasiuntinys ir įteikė Laidei laišką. Perskaičiusi ji pravirko iš sielvarto. Neįstengdama susirinkusiems ambrakiečiams pranešti, kas įvyko, Laidė ištiesė laišką Aristipui. Šis visiems paskelbė, kad karvedys žuvo:

– Jo kariuomenė nugalėjo, bet jį patį rado mirusį.

Svečiai nusiėmė gėlių vainikus. Laidė šydu prisidengė veidą ir visus namų baldus aptraukė juodais apmušalais. Kambariuose degė laidotuvių fakelai. Teatrai buvo uždaryti. Gedėjo visi gyventojai.

Kitą dieną kareivis atgabeno karvedžio pelenus ir ginklus. Laidė surengė ypatingas laidotuves. Eisenoje dalyvavo jaunuoliai ir merginos, nešini kiparisų šakelėmis bei gėlėmis. Laidė dešimčiai dienų užsidarė namuose: kaip reikalavo papročiai, gedulo metu ji su niekuo negalėjo matytis.

Kai Laidė vėl atvėrė savo rūmų duris ir pas ją susirinko draugai, ji prisipažino, kad ši staigi netektis išmušė ją iš vėžių.

– Žmonės manęs jau nebelaikė hetera. Buvau gerbiama moteris. Dabar aš vėl laisva ir bejėgė šiame mieste. Ką man daryti? Mano vyras amžinai gyvens mano širdyje.

Iš Korinto atvykęs pasiuntinys priminė jai, kad jos laukia korintiečiai, žiūrintys į ją ne kaip į heterą, bet kaip į deivę.

– Ką pasakysite? – paklausė Laidė Aristipo ir Kleono.

– Manau, jog čia gyvenimą baigtumei viena ir visų užmiršta. Tu šito nenusipelnei. Privalai žavėti žmones savo protu. Susirink savo daiktus ir vyk su mumis į Korintą, – tarė Aristipas.

Laidė paklaūsė draugų patarimo ir skurstantiems Ambrakijos gyventojams išdalijo paveldėtus iš vyro turtus. Paskui išplaukė į Korintą.

Šiame pasakojime apie audringą Laidės gyvenimą susipina epas, romanas ir drama. Tokie pat įvykiai aprašomi ir kitų heterų istorijose. Greičiausiai autoriai suplakė keleto kurtizanių nuotykius.

V

LAIDĖS ĮSIAMŽINIMAS

Sugrįžimas į Korintą

Į Korintą grįžusią Laidę džiūgaujanti minia nunešė į Veneros šventyklą. Žmonės jai nieko negailėjo. Korintiečiai neskaičiavo pinigų, kuriuos išleido, norėdami pradžiuginti Laidę. Iš mirtų ir rožių buvo nupintas baldakimas. Hierodulai* sutiko Laidę pasigėrėjimo ir džiaugsmo šūksniais. Šalia jos žingsniavo Bakchis.

Šventiniai renginiai truko tris dienas. Žmonės apdainavo Laidės grožį ir sugrįžimą. Bet hetera buvo jau nebejauna. Jai buvo daugiau nei trisdešimt metų, tačiau kadangi visada prižiūrėjo savo kūną, jos veidas atrodė vis toks pat. Laidė tapo apkūnesnė, bet veidas buvo toks pat skaistus, juokas toks pat skambus, šypsena tokia pat žavi, o protas toks pat gyvas. Branda, grožis ir protas, – ji buvo iškiliausia savo epochos moteris! Vis dėlto taip manė ne visi.

Svetur praleidusi trejus metus ir grįžusi į Korintą, Laidė ketino nuo šiol atsidėti menui, filosofijai ir labdarai. Dosnioji ir

---

* Hierodulai – šventyklų vergai, kurie valė patalpas, padėdavo aukojant ir t. t.

širdingoji Laidė vėl ėmė kelti pokylius, į kuriuos rinkosi žymūs žmonės, o kad viskas būtų nepriekaištinga, apie savo šventę ji pranešdavo prieš dvi savaites.

Siekdama išvengti priekaištų, Laidė į savo simposijus* neįsileisdavo moterų. Puotoje dalyvaudavo tik heteros. Svečius linksmindavo muzikantės, šokėjos ir jauni taurininkai.

Aristipo kalba

Vieną dieną Laidė išvyko į Aiginą pas draugę, kuriai reikėjo jos pagalbos. Ji paprašė Aristipo pavaduoti ją pokylio metu, nes nenorėjo atšaukti numatytos puotos. Aristipas visiems paskelbė, kad kalbės apie Laidę, ir į šventę plūstelėjo svetimšaliai, norintys daugiau sužinoti apie heterą.

Svečiams susirinkus, Aristipas paprašė žodžio. Jis paaiškino nepasakosiąs apie Laidės vaikystę, bet priminė, kad jaunystėje į ją dėl grožio, malonaus charakterio ir proto dėmesį atkreipęs Leontidis.

– Leontidis buvo garbingas pilietis, Laidę laikęs savo įdukra ir palikęs jai visą savo turtą. Laidė būtų galėjusi tuos pinigus pasilikti sau. Tačiau ji nusprendė daryti gera ir įgyti žmonių meilę. Šio miesto gyventojai ją taip brangina, kad jai išvykus visi jos labai ilgisi.

Aristipas pabrėžė Laidės protą ir dosnumą.

– Mirus Leontidžiui, ji pasiliko tik pusę palikimo, kad galėtų būti hetera. Ketvirtį savo turto ji skyrė vyro laidotuvėms, – jis buvo palaidotas kaip karalius, – o likusį ketvirtį išdalijo Ko-

---

* Simposijas (gr. *sympossion* – bendros išgertuvės) – puota, kurios dalyviai drauge valgydavo, gerdavo ir pramogaudavo.

rinto vargšams. Laidei patinka būti hetera, nes ji gali tvarkyti savo turtą kaip panorėjusi ir matytis su savo bičiuliais menininkais. To ji negalėtų, jeigu būtų pavyzdinga kokio nors graiko žmona.

Tada Aristipas papasakojo keletą istorijų, išaukštinančių Laidę. Pirmoji buvo apie sodininką, pamilusį vieną Laidės fleitininkę. Pirkdamas jai papuošalus, vyriškis baigė nusigyventi, nors turėjo žmoną ir vaikų. Vieną dieną Laidė išėjo pasivaikščioti ir sutiko jo skurstančius šeimynykščius. Sodininko žmonai ji davė auksinę monetą, tačiau ši ją metė šalin. Laidė labai nustebo. Persigalvojusi moteris monetą pakėlė ir pasakė Laidei, kad tokio gražaus veido žmogus negali būti labai blogas.

– Nesuprantu, kodėl taip elgiesi, – tarė Laidė susijaudinusiai moteriai, ir ši papasakojo, kaip jos vyras iššvaistė visą jų turtą.

Pasipiktinusi Laidė nusprendė ištaisyti fleitininkės padarytą skriaudą.

– Užeik pas mane rytoj. Mes išspręsime šį reikalą, – pažadėjo ji moteriai.

Laidė pasišaukė muzikantę, kuri iš sodininko buvo gavusi papuošalų. Ji privertė merginą grąžinti dovanas ir ją išvarė. Paskui davė sodininko žmonai tiek pinigų, kiek kainavo papuošalai, o vėrinį ir apyrankes padovanojo sodininko dukrai, sakydama, jog tai bus dovanos vestuvių proga.

Aristipas žinojo ir daugiau panašių nutikimų. Jis papasakojo apie jaunąjį Niketą, kuris pamilo godžią moterį, troškusią pinigų. Kad ir kaip tėvai atkalbinėjo, Niketas nenorėjo nieko girdėti. Tada jo motina kreipėsi pagalbos į Laidę.

– Manau, kad žinau, kaip jį išgydyti nuo šios neprotingos meilės, – tarė Laidė.

Ji persirengė jaunuoliu, nuvyko pas Niketo mylimąją ir parodė jai papuošalų ir brangenybių.

– Negaliu tavęs mylėti, nes myliu Niketą, – iš pradžių atsakė moteris.

Tačiau Laidė atšovė, kad Niketas neturtingas.

– Na, gerai! Aš jo nebeįsileisiu.

Kai Niketas atėjo pas mylimąją, durys buvo uždarytos. Prie jo priėjo Laidės žmogus ir tarė, kad belstis beviltiška.

– Tavo meilužė išėjo su kitu. Juk įspėjau tave!

– Atidaviau jai viską, ką turėjau. Netikiu tavimi!

– Grįžk rytoj ir įsitikinsi.

Kitą dieną Niketas pasislėpė gretimame kambaryje ir pasiklausė savo meilužės pokalbio su kitu vyru. Įsiutęs Niketas grįžo namo ir paprašė tėvų atleisti jam už kvailumą.

Sumanioji Laidė

Svečiai pralinksmėjo, Aristipui pradėjus pasakoti, kaip Laidė moka šmaikščiai atsikirsti. Moteris buvo labai sąmojinga. Kartą vienas vyras pagrasino dėl jos nusižudysiąs, o ji atsakė, kad protingiau būtų likti gyvam, nes moterys vertina vyrus, sugebančius meilę įrodinėti daugelį kartų.

Kitas gerbėjas skundėsi, kad dega iš meilės jai ir negali jos užmiršti. Laidė atšovė, kad geriausias būdas šiam niokojančiam gaisrui užgesinti – galutinai jį atstumti ir taip atšaldyti kartą ir visiems laikams.

Laidė buvo ne ką atlaidesnė ir senajam žilagalviui Mironui. Nesulaukęs atsako į meilės prisipažinimą, kitą dieną jis grįžo bandyti laimės, nusidažęs plaukus. Laidė nusistebėjo: šis vyras prašo to paties, ką ji vakar atsakė jo tėvui! Tačiau ilgainiui Mironas tapo vienu artimiausių heteros draugų.

Laidė į viską žiūrėjo filosofiškai. Ji tvirtino, jog mokantieji tik kaupti pinigus, bet nemokantys jų išleisti, niekada nebus laimingi. Nors Laidė mėgo pokylius ir dažnai lankydavo skurstančius žmones, ji vengė kvailos minios, kur, jos žodžiais tariant, pernelyg daug mulkių, pasipūtėlių ir piktadarių.

Laidė dažnai užstodavo elegantiškas ir koketiškas moteris, nes manė, kad išvaizdos priežiūra atima nepaprastai daug laiko. Į svečius ji kviesdavosi tik sąmojingus ir geraširdžius vyrus. Ji mėgdavo pasišaipyti iš filosofų, kurie manydavo esą pakankamai gudrūs ir valingi, kad apsieitų be moters, su kuria kurį laiką bendraudavo. Jeigu jie tikrai turėtų stiprią valią, moterų jiems visai nereikėtų; tai ko dabar jie laksto heteroms iš paskos?

Laidė nepakentė prievartos ir netylėdavo, matydama, kad šeimininkas muša savo tarnus ar vergus. Siekdama apsaugoti savo meilužį, jeigu šis pernelyg karštai reikšdavo savo meilę, jam patardavo nerodyti jausmų. Sulaukusi brandesnio amžiaus, ji niekada neišeidavo iš namų be veidrodėlio: pasak jos, ji galėjusi be jo apsieiti, kai buvo jauna, bet dabar turinti žiūrėti, kad neatsirastų jos veidą bjaurojančių žymių.

Aristipas pabrėžė, kad Laidė – vienintelė visais atžvilgiais tobula moteris. Visi susirinkę vyrai jam pritarė ir pagarbino Laidę.

Laidė ir Eubatis

Bėgo metai, Laidė ir toliau priiminėjo draugus bei žibėjo aukštuomenėje. Peržengusi keturiasdešimtmetį, ji pamilo vieną muzikantą. Turbūt pirmą kartą gyvenime ji pajuto tikrą aistrą. Iš pradžių ji bandė tramdyti savo jausmus, bet galiausiai Eubačiui atsidavė.

Atėnajas pateikia savąją įvykių versiją. Eubačiui Laidė greitai nusibodo. Tada ji įsimylėjo Pausaniją ir iškeliavo su juo į Tesaliją, kur ją neva užpuolė ir užmušė įsiutusios moterys. Tačiau joks kitas rašytojas nemini nei tokios baigties, nei aistros Pausanijui.

Po to, kai muzikantas ją paliko, Laidė leidosi į kelionę ir nuvyko į Tesaliją, kur ėmė duoti gyvenimo meno pamokas. Atrodo, tesaliečiai ją mėgo taip pat kaip korintiečiai. Laidės draugai buvo ją įspėję nepasitikėti Eubačiu, kuriam tereikėjo heteros turtų, o jos jausmai visai nerūpėjo. Diogenas stengėsi atverti jai akis. Tačiau Laidė, atstūmusi daugybės iškilių vyrų meilę, pati pasiūlė Eubačiui ją vesti.

Eubatis buvo dar ir vidutiniškas poetas. Jį viliojo šlovė ir pinigai. Todėl jis paprašė Laidės padėti jam laimėti Istmo žaidynes, kurios vykdavo netoli Korinto ir buvo ne mažiau šlovingos nei Olimpijos. Jeigu jos padedamas jis iškovos prizą, vesiąs ją! Laidė sutiko su šiuo apgaulingu sandoriu. Iš tiesų Eubatis turėjo jauną meilužę.

– Laimėjęs karūną, aš ne tik vesiu tave, – pažadėjo jai Eubatis, – bet ir išsivešiu į savo miestą.

Norėdama suteikti Eubačiui malonumą, Laidė išdalijo daug aukso. Dėl tokio dosnumo jaunasis poetas laimėjo taip trokštamą prizą. Jis nedelsdamas išvyko pas savo jaunąją meilužę, Laidei pasakęs, kad laikosi judviejų susitarimo, nes į savo gimtąjį miestą išsiveža jos nuotrauką.

Laidė nesiekė keršto, tačiau puolė į neviltį. Ji leidosi ieškoti Eubačio, bet jo nerado. Į Korintą ji grįžo tokia nusiminusi, kad net susirgo. Draugai jos neapleido. Į pagalbą Laidei atskubėjo Aristipas. Laidė pasiuntė Kleoną ieškoti Eubačio, bet ir šis grįžo nieko nepešęs.

Kadangi Laidė nuolatos kankinosi, verkė ir kamavosi, dingo jos akių spindesys, gyvenimo džiaugsmas ir grožis. Ji atleido merginas, linksmindavusias pokylių svečius. Ji suteikė laisvę vergams, pasiliko tik pačius seniausius. Priimdavo tik artimiausius draugus, nors ir šie nebeteikė jai gyvenimo džiaugsmo.

Jausdamasi nusilpusi, Laidė nusprendė pastatydinti šventyklą Veneros garbei ir marmurinį antkapį. Venerai ji padovanojo savo paskutinį veidrodį, nes jos atvaizdas jai nebepatiko. Laidė nenorėjo matyti savo raukšlių. Silpdama sulig kiekviena diena, Laidė sukvietė draugus ir pranešė jiems, ką nusprendusi. Kadangi jos turtas vis dar buvo nemažas, ketvirtį ji paliksianti skurstančioms Korinto heteroms, ketvirtį – žynėms, kurios prižiūrės Veneros šventyklą, dar vieną ketvirtį – Bakchiui. Savo sodus ji dovanojanti Korinto miestui, taip atsidėkodama gyventojams už jų meilę.

Sutvarkiusi visus reikalus, Laidė paprašė tarnaičių ant galvos uždėti vainiką ir palydėti ją į sodą. Prie jos prisidėjo muzikantės. Susirinko draugai. Laidė dėmesingai klausėsi jai dainuojamų odžių. Daugelis susirinkusiųjų ėmė verkti, ir Laidė ištarė paskutinius žodžius.

Korintiečiai parodė ypatingą pagarbą Laidei ir palaidojo ją labai iškilmingai. Buvo nukaldintos monetos su jos atvaizdu. Nuostabų Laidės kapą puošė liūtės ir avino skulptūros. Laidės pageidavimu, ją palaidojo Kraniono giraitėje, ir į Korinto akropolį vykstantys keliautojai galėjo grožėtis paminklu, po kuriuo ilsėjosi hetera.

VI

KASDIENIS HETERŲ GYVENIMAS

Heterų rūpinimasis išvaizda

Laidės laikais ne visos laisvosios moterys tapdavo heteromis. Daugelis jų buvo prostitutės, dirbo nekokią šlovę turinčiose gatvėse, grotose, apgriuvusiuose namuose ir mokėjo mokesčius valstybei. Žmonės jas niekino.

Taigi tokios moterys nė iš tolo neprilygo heteroms, kurios ištisas valandas rūpindavosi savo išvaizda. Rytą tarnaitės jas ištrindavo ir nuprausdavo. Kūną kruopščiai nuskusdavo, paskui įtrindavo kvapniaisiais tepalais. Hetera rūpestingai rinkdavosi šukuoseną ir drabužius. Kad plaukai būtų žvilgantys ir švelnūs, graikės naudodavo aliejų, o pernelyg nepaklusnias sruogas kartais sugarbiniuodavo ar susukdavo. Į plaukus įpindavo paauksuotų kaspinėlių, įsmeigdavo dramblio kaulo šukas, brangakmeniais nusagstytų smeigtukų. Kartais šukuosenos būdavo labai įmantrios. Heteros norėjo, kad plaukai būtų paslankūs ir kruopščiai sušukuoti. Kasos, šinjonai, sugarbanotos sruogos, – buvo griebiamasi įvairiausių priemonių plaukų grožiui pabrėžti. Neretai tamsiems plaukams gyvumo suteikdavo keletas perlų.

Tarnaitės heteroms darydavo makiažą. Plonytėlaičiais teptukais juodai apvesdavo antakius ir akių kontūrus. Dažniausiai tarnaitės naudodavo smilkalus, geležies miltelius, sumaišytus su granato žievės sultimis ar su švinu ir stibiu. Paskui jos įrankiu iš dramblio kaulo nugramdydavo šeimininkės liežuvį, kvapnia pasta išvalydavo dantis ir paduodavo vandens burnai išskalauti.

Masažas, įtrinant stangrinamuosius tepalus, padėdavo išsaugoti lygią ir jauną odą. Plaukams šalinti buvo naudojamas sakų ir medaus mišinys. Jį pakaitindavo ir ištirpindavo. Paskui juostomis tepdavo ant tam tikrų kūno vietų. Mišiniui šiek tiek sukietėjus, atšalusią juostą nuplėšdavo kartu su plaukeliais. Vėliau tų vietų odą ištepdavo raminamuoju aliejumi ar išvalytais riebalais.

Jeigu hetera turėjo keletą raukšlių, jas sumaniai paslėpdavo po rausvos pudros sluoksniu. Tarnaitės nublizgindavo nagus, o rankas įtrindavo odą švelninančiu tepalu. Tada hetera pirštus išmirkydavo benzoinės dervos tirpale. Baigusi rūpintis kūnu, ji išsirinkdavo suknelę ir papuošalus.

Pasiruošusi priimti lankytojus, hetera išsitiesdavo ant sofos ir laukdavo klientų. Jei norėdavo pažiūrėti spektaklį, į teatrą keliaudavo palankinu. Kartais aplankydavo kokią draugę, irgi laisvąją moterį, kuri ją supažindindavo su būsimaisiais klientais. Korintietės labai dažnai vykdavo į Afroditės mišką, kur skirdavo pasimatymus.

Grožio priemonės

Heteros griebdavosi daugybės gudrybių, kad atrodytų aukštesnės, lieknesnės ar paslėptų atsikišusį pilvą. Savo privalumus jos pabrėždavo aukštakulniais batais, juostomis, kurio-

mis susiverždavo juosmenį ar pilvą. Pernelyg tamsią odą švie-
sindavo švino baltalu, o pernelyg blyškią paryškindavo raudo-
nais dažais, gautais iš dygmino, augančio Egipte.

Svarbiausia buvo pabrėžti privalumus ir paslėpti trūkumus.
Jei hetera turėjo gražius dantis, ji dažnai juokdavosi. O jeigu
dantys buvo sugedę, jinai juos slėpdavo, kartais net būdavo
įsikandusi mirtos šakelę. Kad žvilgsnis taptų įtaigesnis, hete-
ros akių vokus dažydavo mėlynai ir žaliai. Nagus dažydavo ar-
ba trindavo audeklo skiautele, išmirkyta aliejuje su benzoinės
dervos milteliais. Taip jie imdavo blizgėti ir tapdavo labai gra-
žūs. Skaistalais hetera ne tik paslėpdavo raukšles, bet ir su-
teikdavo veidui patrauklesnį atspalvį.

Kokių tik kaukių ji nedėdavo, rūpindamasi savo oda, ko-
kiais tik aliejais bei tepalais ji netrindavo savo plaukų, kad šie
imtų blizgėti! Laidė žinojo korintiečių receptus: veidui – me-
dus, išplakti kiaušinių tryniai, migdolų miltai; plaukams – mig-
dolų aliejus, veršiuko taukai, lazdyno riešutų aliejus su ben-
zoine derva, cinamonas ir gintaras. Laidė taip pat žinojo, ko-
kie naudingi veidui rožių ar medaus vanduo, rasa, augalų ar
žolių antpilai ar sultys. Raukšlėms naikinti ji naudojo gysločių
ir citrinų sultis bei granatų žievelių nuovirą.

Kiekvieną rytą tarnaitės Laidei darydavo makiažą. Dantis ji
valydavosi prie rankenėlės pritvirtinta kempinėle, išmirkyta
anglies, koralų, kreidos ir aromatinių esencijų mišinyje. Ištisą
dieną ji kramsnodavo mastikmedžio sakus, kad dantys būtų
balti ir žvilgantys, o kvapas gaivus.

Laidė turėjo jautrią uoslę, ir jos paliepimu visur būdavo iš-
dėlioti prieskonių ar kvapių žolelių maišeliai, – skryniose, rū-
buose, visuose kambariuose. Tokius maišelius ji nešiodavosi
prie diržo ar kišenėse. Korinte buvo naudojami maišeliai su
vilkdalgio, rožių ir santalo milteliais, gvazdikėliais, cinamonu,
benzoine derva, mira ir muškatais.

Laidė maudydavosi iškvėpintame vandenyje, jos kūną tarnaitės įtrindavo kvapiaisiais tepalais. Ji taip pat mėgo odą švelninančias ir gaivinančias vonias, tokiomis lepindavosi turtingos korintietės ir atėnietės. Į šiltą vandenį įmesdavo miežių, ryžių, alijošių, sėlenų, dedešvų žiedų, agurklės ir linų sėklų, paskui jį sumaišydavo su vandeniu vonioje. Į vonią taip pat pridėdavo rozmarinų, čiobrelių ir raudonėlių. Be abejonės, Laidė žilstelėjusius plaukus dažydavo sakais, geležies milteliais, trintomis šeivamedžio uogomis, žagrenio vaisių ar ūglių nuoviru. Tarnaitės taip pat paruošdavo negesintų kalkių, vandens ir švino oksido mišinį. Šie mišiniai buvo gana pavojingi, ir naudoti juos buvo galima tik tam tikrą laiką. Jeigu hetera juos, įtrintus į plaukus, laikydavo pernelyg ilgai, plaukai galėjo tapti juodmedžio spalvos. Per trumpai išlaikytas mišinys suteikdavo rausvą atspalvį. Bet blogiausia, kas galėjo nutikti, – nudeginti plaukai nuslinkdavo.

Įžymios kurtizanės

Afroditės šventę paprastai švęsdavo apie du tūkstančius moterų. Tarp jų buvo gražioji Teodėja, kuri, pasak gandų, persirengė verge, kad galėtų sekti paskui mylimą vyrą. Gnatena Sikionietė lavinosi pas atėnietę Maliją. Senstančios moterys neretai griebdavosi stebuklingų meilės gėrimų, kaip ir egiptietės, siekdamos vėl privilioti meilužius. Tesalietės garsėjo kaip daugybės receptų žinovės.

Buvo kurtizanių, šlove nenusileidžiančių Laidei. Kai kurios tapo karalienėmis: Agatoklėja, ištekėjusi už Ptolemajo Filopatoro, Kaliksena, tapusi Aleksandro žmona, nors prieš tai susitikinėjo su jo tėvu Filipu Makedoniečiu, Peito, Sirakūzų tirono Hierono žmona, arba Filėnidė, Filipui Makedoniečiui pagimdžiusi Filipą Aridėją. Kitos buvo karalių sugyventinės: Kleinė, Ptolemajo II Filadelfo numylėtinė, nors ji jam nesutrukdė vesti heteros Didimos, Mylto, Kyro favoritė, Mysta, Seleuko mylimoji, turėjusi tokią pat valdžią kaip ir karalienė, Irena, Ptolemajo Lagido sugyventinė, Targelija, ištekėjusi už princo, Teoridė, Sofoklio sugyventinė. Buvo heterų, kurias mylėjo didieji filosofai: Glikera, gyvenusi su dailininku Pausijumi, o vėliau su Menandru, Herpilidė, Aristotelio žmona, Archeanasa, Platono mylimoji, Lagiska, Isokrato meilužė, Nemėja, Alkibiado sugulovė, Naidė, retoriaus Alkidamo meilužė, Leoncija, Epikūro draugė, Pitonikė, kurią išgarsino jos antkapis ir kuri visur lydėjo Harpalą, garsųjį Aleksandro Didžiojo kariuomenės intendantą. Buvo ir tokių, kurias mylėjo princai, kaip Aristonikė, gyvenusi su Persijos karaliumi. Kai kurios, pavyzdžiui, Boa, Choridė ir Chloridė, pagimdė būsimąjį karalių, generolą ar menininką. Daugelis kurtizanių lydėdavo retorius, kaip Choridė, Aristofono mylimoji, arba buvo apdovanotos išskirtiniu talentu, kaip Korina, laimėjusi poezijos varžybas, mokytoji Kleonikė, Gnatena, atidariusi gyvenimo meno mokyklą, Herpilidė, puikiai išmaniusi fiziką ir astronomiją, muzikantė Megalostratidė, matematikė Nikaretė, gyvenusi su filosofu Stilponu, Filėna, talentinga fizikė, ar Timandra, kurią taip vertino Alkibiadas ir kuri buvo atsidavusi šiam vyrui iki pat mirties, nes jis išpirko ją iš jos šeimininkės, pagaliau Mirina, apgaudinėjusi Alkibiadą, kaip ir jis ją.

Kartais heterų drąsa buvo stulbinama. Leona, tardoma griežtų teisėjų dėl vieno sąmokslo, neištarė nė žodžio. Kad neprabiltų, ji nusikando liežuvį.

Globėjas Aristipas

Kaip ir daugelis kitų heterų, Laidė turėjo globėją – Aristipą Kirėnietį. Jis gimė pasiturinčioje šeimoje ir ankstyvoje jaunystėje susidomėjo filosofija. Po tėvo mirties Aristipas persikėlė į Atėnus, kur susidraugavo su Sokratu. Jis taip pat vertino Platoną, Diogeną, Fedoną ir Antisteną. Netrukus jis atidarė mokyklą, kurioje skelbė, kad pojūčiai, jo manymu, yra mūsų žinių pagrindas, o blogis ir gėris – subjektyvūs. Jis taip pat skaitė paskaitas apie žmogiškųjų ambicijų tikslus ir materialinių gėrybių tuštybę.

Aristipo mintys labai svarbios, nes jos padarė didelę įtaką Laidei. Visai ne gėda, sakydavo filosofas, siekti malonumo, o ne skausmo. Jis aukštino toleranciją. Koks žmogus gali pasakyti, kas gerai, o kas blogai? Kriterijai keičiasi priklausomai nuo epochų, įvykių ar šalių.

Liaupsinimas gali būti naudingas. Aristipas pagyras netgi prilygino menui. Siekiant laimės, naudinga atsisakyti žalingų aistrų. Kam žvalgytis į praeitį ir svajoti apie ateitį? Aristipas manė, kad reikia kuo geriau naudotis dabartimi. Kam ką nors sau drausti, jeigu galima viską turėti ir tuo džiaugtis? Kam laukti? Tikroji filosofija, sakydavo jis, – tai visavertis laimės akimirkų išgyvenimas.

Aristipas visada žinojo, kas yra gerovė ir turtai. Jis visada skaniai valgė ir visą gyvenimą gražiai rengėsi. Jis smerkė niekšiškumą ir vertino subtilų protą. Jis mėgo moteris, buvo vedęs, susilaukė keleto vaikų. Viena dukra buvo kaip reta protinga, ją Aristipas mokė savo filosofinių nuostatų. Visi vertino jo dosnumą, širdingumą, malonų charakterį. Kartais jis skaitydavo paskaitas nemokamai arba dalydavo vargšams dovanas.

Aristipas buvo labai tolerantiškas, pavyzdžiui, bendrauda-
mas su savo draugu Aischinu. Jis mėgo pasmaguriauti ir juok-
davosi iš filosofų kinikų, priekaištaudavusių jam už prabangą.
Aristipas buvo ir labai sąmojingas. Jis visada pasiekdavo savo
tikslą ir dažnai rasdavo, ką atkirsti pernelyg įnoringam kara-
liui. Keletą mėnesių jis gyveno pas tironą Dionisiją.

Aristipui priskiriamas šis sąmojis: „Aš turiu Laidę, bet Laidė
neturi manęs", nors juodu siejo švelni draugystė. Jie buvo labai
panašūs, todėl puikiai sutarė. Abu blaiviai vertino pinigus. Aris-
tipas mokėjo prisitaikyti. Jis gerai jautėsi ir paprastų žmonių, ir
karalių draugijoje, tačiau smerkė kai kuriuos ritualus, pavyz-
džiui, Eleusino misterijas, kurias laikė iškrypėliškomis. Laidei
buvo tekę dėl jų nukentėti. Jiedu kritikavo misterijų žynius už
pasipūtimą, ambicingumą ir egoizmą. Pastarųjų siekis gerbti
žmogaus prigimtį ir paklusti jai tebuvo iliuzija. Žinoma, hiero-
fantas buvo svarbiausias misterijų dalyvis, Cereros tarnas, vis-
kam vadovaujantis ir viską sprendžiantis. Didžiosioms ir mažo-
sioms Dionisijoms buvo rengiamasi iš anksto, šios įspūdingos
šventės trukdavo kelias dienas. Bet Aristipas, reguliariai lankę-
sis Eleusine, mokėjo įžvelgti, kas slepiasi po išoriniu spindesiu.

Diogenas

Nors Aristipas aukštino gražų gyvenimą ir prikaišiojo Dioge-
nui, jog šis nesugebąs mėgautis gyvenimo teikiamais malonu-
mais, Diogenas irgi padarė įtaką Laidei – kitokią, bet ne ma-
žiau svarbią.

Diogenas gimė Sinopėje. Jo tėvas buvo juvelyras, padirbi-
nėjęs monetas. Juos abu suėmė, įkalino ir nuteisė. Tai nulėmė
jų likimą. Diogeno tėvas buvo nuteistas mirties bausme, o bū-

simasis filosofas ištremtas, atėmus visą jo turtą. Taigi Diogenas iškeliavo į Atėnus su vos keliomis drachmomis kišenėje. Ten jis maitinosi žolelėmis ir šaknimis. Vieną dieną Diogenas atėjo pas Antisteną, kinikų mokytoją, ir tapo jo mokiniu. Bet greitai mokinys pasirodė esąs gabesnis už mokytoją. Gyvas, kandus, įžvalgus, mėgstantis pasišaipyti iš kitų filosofų, Diogenas savo mokyklos neatidarė. Jis miegodavo po portikais, vėliau statinėje. Kartą vaikai tyčiodamiesi suplėšė jo apsiaustą, ir tada Diogenas sutiko Laidę, ji padovanojo jam drabužių ir pakvietė į svečius. Diogenas neatstūmė Laidės draugystės, nes laikė ją protinga ir žavia. Radusi Diogeną, Laidė padovanojo jam namą Korinte. Tai buvo statinė, nes Diogenas nesutiko gyventi tokiame name kaip jos.

– Vadinasi, – tarė Diogenas, – hetera kilnesnė nei Demostenas ar Platonas!

Laidė raudo, klausydama šių pagyrų, ir Diogenas jai tarė:

– Tai ne melas ir ne liaupsės, o tiesa. Aš gana šiurkštus, bet sakau tik tai, ką galvoju. Būsiu tau dėkingas iki gyvenimo pabaigos.

Diogenas kritikavo viską, ko nekentė. Jis nieko nebijojo. Drąsa ir atvirumu jam niekas negalėjo prilygti. Jis irgi smerkė Eleusino žynių pasipūtimą. Užgrūdintas šalčio ir karščio, kuriuos kęsdavo ištisus metus, Diogenas išsiugdė aiškų protą ir ištvermingą kūną. Jis kritikavo idealistus. Šis žmogus buvo visiškai laisvas ir nematė reikalo paklusti karalių užgaidoms kaip daugelis filosofų. Žmonėms, kurie ateidavo jo patarimo, jis dažnai sakydavo maksimas. Diogenas parašė keletą knygų moralės klausimais. Jo manymu, šeimininkai yra ne ką laisvesni už savo vergus, jei paklūsta aistroms. Jis patarė jausti saiką, mokėti atleisti, pabrėžė kultūros, visuomenės, įstatymų svarbą ir priekaištavo žmonėms už tai, kad pernelyg tarnauja viską turintiems dievams, kad yra paperkami, mėgsta pinigus ir nemoka ištiesti pagalbos rankos draugams.

Diogenas buvo ciniškas ir negailestingas nesąžiningiems politikams, niekino gobšuolius ir pinigų bei valdžios siekiančius žynius, šaipėsi iš pasiturinčių žmonių, besivaikančių niekam nereikalingų patogumų. Vis dėlto jį vertino tiek vargšai, tiek turtuoliai, nes jis buvo nepaprastai protingas. Laidė elgėsi su juo labai draugiškai. Be abejo, kaip ir Diogenas, ji brangino laisvę ir blaiviai žiūrėjo į turtą bei pinigus.

Visai neplatoniška meilė

Be abejo, Laidė į Platoną žiūrėjo taip pat kaip Aristipas. Pastarasis jį laikė turinčiu daug privalumų, bet pernelyg ambicingu ir šlovės trokštančiu žmogumi. Aristipas niekada netapo jo draugu. Platonas buvo gerokai griežtesnis ir ne toks subtilus. Nors abu filosofai stengėsi rasti laimę, Platonas visada teigė, kad žemėje laimė neegzistuoja. O Aristipas laikėsi principo, kad reikia kiek įmanoma mėgautis gyvenimu, nepuolant į jokį kraštutinumą.

Aristipo manymu, Platonas buvo geras oratorius ir puikus rašytojas, bet kartais apsijuokdavo dėl savo absurdiško mąstymo ir įrodymų trūkumo, susipainiodamas pasakose, vaizduose, ilguose ir neįtikinamuose aprašymuose. Aristipas gana palankiai vertino Platoną, kai šis sekdavo Sokratu, bet jo paties apmąstymai buvo kupini fantazijų, poezijos, prieštaravimų, nesąmonių ir absurdo. Platonas buvo netolerantiškas, o jo filosofija visiškai nesuprantama. Aristipas ne taip griežtai vertino Platono sugyventinę, kurią pažinojo Laidė. Archeanasos dėka Platonas, be abejo, tapo daug žmogiškesnis. Laidė priekaištavo Platonui ir už perdėtą taupumą. Kartą, aplankiusi sergančią draugę, ji kreipėsi į savo draugus:

– Visi šie sodai ir turtai vieną dieną bus jūsų, – tarė ji.

Jos paliepimu buvo sustatyta šimtas stalų ir pakviesta keturi šimtai vargingiausių korintiečių. Laidė norėjo, kad jie gertų ir valgytų iki soties. Svečiai pakėlė taures už Laidę ir, kaip kiekvieno pokylio metu, garbino jos dosnumą. Kažkas pasiūlė, kad pasisotinę svečiai atsineštų kirtiklius ir iš šventyklos griuvėsių prie įėjimo į sodą pastatytų portiką. Ant jo būtų iškaltas užrašas: „Geradarei Laidei nuo korintiečių".

Netrukus daugelis susirinkusiųjų darbavosi statydami portiką. Kiti diskutavo apie draugystę. Kaip užsimezga draugystė Korinte, prekeivių ir pinigų mieste? Paskui pokalbis pakrypo apie meilę. Laidės nuomone, meilė atneša laimę. Niekada nereikia gėdytis savo jausmų.

Kai portikas buvo baigtas, Laidė pasižadėjo būti dar dosnesnė geriesiems Korinto žmonėms, kaskart ją sutikdavusiems sveikinimo šūksniais.

Laidė visada daug reikšmės teikė šokiui. Filosofai pritarė šiam požiūriui, nes jiems šokis reiškė ne tik grakštumą, žavesį ar kūno lankstumą, bet ir proto lavinimą. Šokis taip pat padėdavo užmiršti kasdienius rūpesčius ir reikalus. Pokyliuose šokiai, kuriuos pradėdavo fleitininkės, o paskui prisidėdavo ir svečiai, daugelio graikų apgailestavimui, dažnai tapdavo erotiški ir geidulingi. Dažnai dalyviai šokdavo nuogi, pašėlusiu ritmu, ir tai labai nepatiko dorovingiausiems graikams. Tačiau tokie šokiai buvo būtina visų Laidės puotų dalis. Todėl galima suprasti, kodėl Platonas niekada nedalyvaudavo šiuose džiaugsmo ir malonumų kupinuose pokyliuose. Griežtasis filosofas ieškojo tiesos nepabaigiamuose, kartais niekur nevedančiuose dialoguose. Laidė sakydavo:

– Būti laimingam taip lengva. Kam gi to atsisakyti?

Visiems pas ją besilankantiems korintiečiams meilė buvo būtina sąlyga. Niekas negalėjo jos išvengti. Kas tvirtindavo priešingai, būdavo išvadinamas melagiu. Dainose buvo šlovinama meilė, glamonės, malonumai, jausmų protrūkiai ir laisvė. Jeigu koks Platono mokinys bandydavo aukštinti platonišką meilę, korintiečiai pripažindavo, kad jo kalbos gražios, bet sakydavo norį girdėti ką kita:

– Mums šneka apie meilę be kūno. Bet mes turime kūną ir norime jį patenkinti. Taigi mūsų požiūris į meilę visai kitoks.

Filosofai, kuriuos mokė malonumų atsisakęs mokytojas, neretai pakeisdavo nuomonę, klausydami Laidės namuose skambančių dainų, gerdami švelnų vyną, gėrėdamiesi gražiais sodais, kvėpuodami gaiviu oru, ragaudami subtilių patiekalų ir svaigdami nuo namų šeimininkės žavesio. Korintiečiai nepamiršo Laidės, nors buvo ir kitų heterų, kurios išgarsėdavo ir priiminėdavo įžymius žmones.

– Kas galėtų priešintis meilei? – kalbėjo Laidė. – Kam pavyktų nuo jos pabėgti? Tu visagalė ir trobelėse, ir rūmuose, tu valdai visus – ir karalius, ir varguolius. Tau paklūsta gyvūnai. Tavo norus vykdo gėlės ir medžiai. Tavo įsakymai galioja ir danguje, ir jūros dugne.

Meilės, gyvenimo, laimės, sielos didybės ir grožio filosofija. O kaip buvo iš tikrųjų? Gal Laidė tiesiog buvo idealizuojama, kaip ir kitos heteros, kurioms nepaprastas likimas skyrė svarbų vaidmenį?

Laidė žmonių atmintyje išliko kaip dosni ir graži hetera, mėgusi filosofų ir poetų draugiją. Taip žmonės atsimena daugelį garsių heterų. Jeigu Laidei ir padarė įtaką pas ją besisvečiuojančių filosofų kalbos, nėra jokių įrodymų, kad pokylių metu ji sublizgėdavo savo protu. Vis dėlto išliko keletas liudijimų, rodančių, kad ji mėgo disputus, pokalbius tam tikra tema ir

protingų vyrų draugiją. Ir ji tikrai turėjo daryti tai, ko buvo iš-
mokusi: klausytis ir girti ją supančius mokslininkus, surengti
jiems gerą priėmimą ir pabrėžti jų privalumus, skelbti apie savo
pokylius ir taip į savo namus privilioti turtingų klientų.

TAIDĖ, EGIPTO KARALIENĖ

I

VYRŲ KONKURENCIJA

Sūzų suniokojimas

Taidė išgarsėjo todėl, kad buvo viena iš kurtizanių, lydėjusių Aleksandrą Didįjį jo epopėjos metu. Makedonietis mielai sekė persų karalių, tokių kaip Darėjas, turėjusių didžiulius haremus, pavyzdžiu.

Taidė jaunajam Aleksandrui darė didžiulę įtaką, tačiau jos patarimai ne visada būdavo geri. Pavyzdžiui, vienos puotos metu, kai Aleksandras ir jo vyrai nusigėrė, ji pasiūlė karaliui sudeginti Sūzus už tai, kad Kserksas padegė Atėnus. Taidė norėjo atkeršyti už graikus ir sudeginti karalių karaliaus rūmus. Ji taip pat troško atlikti Aleksandro karvedžių vertą žygdarbį ir pasiekti, kad prie karaliaus pergalių būtų prisidėjusios ir jo kurtizanės (*gunaïa*).

Nieko negalvodamas Aleksandras ėmėsi vykdyti jos prašymą. Savo karvedžiams jis įsakė griebti deglus ir žygiuoti į miestą. Prie jų prisidėjo visi orgijoje dalyvavę graikų kariai. Jie elgėsi taip negailestingai, kad vėliau Aleksandras priekaištavo Taidei už blogą patarimą. Barbariškai nusiaubti persų sostinę, nesigailint žmonių, – toks elgesys nebuvo būdingas Aleksandrui. Tačiau gražioji Taidė patarė jam užmiršti sąžinės priekaištus.

Vyrų konkurencija

Vyrų meilė, „graikiška meilė", Graikijoje buvo labai vertinama, ir Aleksandras nebuvo šios tradicijos išimtis. Kai kurie filosofai vyro meilę moteriai laikė vulgaria, o vyrų meilę – dangiška. Platonas *Puotoje* rašė, kad vyro ir moters meilė būdinga prastuomenei. Geriau mylėti stipriąją lytį, galingesnę ir protingesnę. Įsimylėjėlis buvo savo meilužio vadovas visuomenėje, kur moterų buvo mažiau ir didelis dėmesys buvo skiriamas sportui bei karui.

Kaip jaunų bendražygių supamas Aleksandras žiūrėjo į Plutarcho žodžius, jog kvailą vyrų meilę moterims galima palyginti su potraukiu, kurį jaučia musė, matydama pieno puodynę? Buvo galima kalbėti apie meilę kilmingiems jaunuoliams, bet ne moterims. Šie jauni ir gyvybingi vaikinai padėdavo pasiekti išmintį, o moteriai jaučiamas geismas netgi neteikdavo malonumo.

Tokios nuostatos ir mintys toli gražu neskatino graikų pagarbos moterims. Nuo V amžiaus pr. Kr. prostitutės buvo laikomos daiktais. Vis dėlto graikai dažnai lankydavosi pas kurtizanes, nors nieko gera iš jų nesitikėjo.

Aleksandrą supo jaunikaičiai, kurie mėgavosi gyvenimu rūmuose ir kartais gaudavo dovanų. Graikai neretai parsidavinėdavo už papuošalus, gyvulius ar drabužius, ir ne vienas vyras nusigyveno dėl mylimojo („eromenos"). Šių jaunuolių socialinė padėtis buvo daug aukštesnė už smuklėse dirbančių merginų, kurios, kaip pasakoja Aristofanas, jei tik užmiršdavo pasirašyti sutartį, už savo paslaugas užmokesčio negaudavo. Jei taip nutikdavo, reikalauti pažadėtų pinigų teisme išdrįsdavo nedaugelis.

Aleksandrą Makedonietį linksminančių jaunuolių neviliojo penkių drachmų užmokestis, jie troško tarnauti princui ir karaliui. Šie sumoteriškėję, gausiai išsipustę, tobulo, nuo kvapiųjų aliejų žvilgančio kūno jaunikaičiai neslėpė savo polinkių. Atėnuose juos lengvai galėjai atpažinti. Išėję iš meilužio namų, jie vaikštinėdavo po Pnikso ar Likabeto kvartalus. Nė vienas nesibaimino, kad šeimininkas privers dirbti smuklėje, kaip nutikdavo kituose miestuose. Neretai galėjai išvysti jauną vergą, ant slenksčio laukiantį klientų. Aukštuomenės kurtizanai naudojosi ir dar viena privilegija: jie buvo atleisti nuo mokesčių. Aleksandro rūmuose gyvenantys jaunikaičiai mokesčių nemokėjo. Jie mėgavosi prabanga, žaisdavo kauliukais, medžiodavo, lydėdavo Aleksandrą į karą ir neretai netgi naudodavosi karaliaus prostitutėmis.

Graikų literatūroje pasakojama apie kelis teismo procesus, iš kurių sužinome apie įžymius kurtizanus, tokius kaip Alkibiado sūnus, ėmęs parsidavinėti vienuolikos metų. Turtuose skendintis našlaitis Timarkas IV amžuje pr. Kr. gyveno palaidai: vieną po kito keitė meilužius, šokėjų bei muzikantų apsuptyje mėgavosi prabanga, visada rinkdavosi turtingiausius vyrus, dirbo lošimo namuose, linksminosi ir vertė meilužius pavyduliauti.

Taidė susidurdavo ir su Aleksandro rūmuose gyvenusiais eunuchais. Pastarieji dažnai parsidavinėdavo; vis įvairesnių malonumų besivaikantys graikai juos labai vertino. Prostitucija vertėsi ir salose gyvenantys vyrai, jie supirkdavo jaunuolius, iškastruodavo juos ir parduodavo Efeso turguose. Daugelį Romos imperatorių visur lydės eunuchai patarėjai. Graikijoje jie buvo skirstomi į kelias kategorijas.

Vis dėlto nuo Solono laikų įstatymai gynė graikų jaunimą. Atėnuose kiekviena gentis turėjo pareigūną, kuris už drachmą per mėnesį prižiūrėjo, kad niekas nebandytų tvirkinti jaunuolių palestrose ir mokyklose. Tėvams buvo draudžiama versti vaikus parsidavinėti, nes šie suaugę galėjo jiems atkeršyti ir palikti juos gyventi skurde. Įtraukti laisvojo statusą turintį vaiką į prostitucijos verslą buvo griežtai draudžiama, už tai grėsė didelė bauda. Tokius atvejus nagrinėdavo teismas.

Tačiau pardavinėti vergus prostitučių turguose niekas nedraudė, nors toks vergas galutinai prarasdavo garbę. Žinoma, parsidavinėjantys graikai neturėjo teisės užimti valstybinių pareigų. Jiems buvo draudžiama įžengti į šventyklą, dirbti šaukliais ir lankytis kai kuriose viešosiose vietose.

Vos dvylikos metų sulaukę jaunikaičiai tapdavo vyresnių vyrų troškimų objektu. Nepaisant nekokio šių labai populiarių paauglių vardo, įstatymų, pareigūnų priežiūros ir ligų, kurias Aristofanas išvardija *Raiteliuose*, Graikijoje vyrų meilė klestėte klestėjo. Jokios bausmės, jokia priežiūra nepajėgė išnaikinti vyrų prostitucijos. O filosofija ją dar labiau skatino.

Šlovė

Taidei teko laimė tapti garsia kurtizane. Tačiau daugelis jos likimo draugių ir toliau vaikštinėjo Graikijos miestų gatvėmis. Kiekviename mieste buvo prostitučių kvartalas. Atėnuose niūrūs prostitučių namai rikiavosi priemiesčiuose už Kerameiko kvartalo, kur dirbo amatininkai ir prekybininkai. Gausūs įrašai pastatų sienose mena prostitučių grožį ar kvietimus atsiduoti malonumams, kurių netrūko ir Atėnų uoste Pirėjuje. Kai kuriuos namus pastatydino pats Solonas.

Tokias kurtizanes kaip Taidė vyrai rinkdavosi ne tik dėl malonumo, bet ir dėl jų proto. Be to, kurtizanės juos lepindavo išskirtiniu dėmesiu, o teisėtos žmonos pareiga buvo pratęsti vyro giminę ir rūpintis namais. Siekdamas apsaugoti prostitutes, Solonas netgi įsakė pastatyti šventyklą Afroditei. Taidė dažnai dėvėdavo ryškiai geltonos – kurtizanių – spalvos tuniką. Odą šviesindavo švino baltalu ir žinojo gausybę receptų, padedančių išsaugoti jaunystę. Graikai niekada jos neįžeidinėjo, nes laikėsi prostitučių įvestų taisyklių ir nerašytų įsakymų. Kadangi graikai mėgaudavosi malonumais viešnamiuose, jų žmonos galėjo ramiai gyventi ir nesibaiminti kitų vyrų priekabiavimo. Be to, prostitutės mokėdavo mokesčius, ženkliai papildydavusius valstybės iždą. Klientų laukiančias prostitutes, išsirikiavusias gatvėje, sėdinčias ant kėdučių ar nuoga krūtine besikaitinančias kurortuose, lygindavo su saldžiabalsiais paukščiais, tik ir laukiančiais progos iš jaunuolių išvilioti pinigus, arba su sutramdytais žirgais. Šias vos prisidengusias moteris buvo galima išsinuomoti už keletą drachmų. Graikų žmonos nė kiek nepriekaištaudavo vyrams už lankymąsi pas merginas, – šie joms nieko nejautė, o jos vykdydavo menkiausią klientų užgaidą bei įnorį.

Prieš įsiliedama į Aleksandro dvariškių būrį, Taidė irgi privalėjo kasmet mokėti valstybės mokesčių rinkėjams. Ar ji dirbo kam nors priklausančiame viešnamyje? Ar kada nors turėjo ambicingų planų tapti vieno iš prabangaus kvartalo viešnamių savininke? Ar, kaip ir kitos buvusios prostitutės, svajojo, kaip rinksis mergaites, mokys jas ir nuomos spektaklių ar pokylių rengėjams? Tokiu atveju Taidė nebūtų nusipelniusi pagarbos. Ji nebūtų praturtėjusi, nes už muzikantės nuomą kaskart tebūtų gavusi vos keletą drachmų. Jai būtų tekę atlaikyti kontrolierius, taikyti klientus, užtikrinti tvarką, nes kitaip grėstų bausmė. Griežtos bausmės laukė ir užsiprašydavusių pernelyg daug. Taidei būtų buvę draudžiama gyventi iš laisvųjų merginų prostitucijos ir liepiama tvarkingai vesti apskaitą.

Tačiau Taidės laukė kitas likimas: jai neteko rūpintis dėl ateities. Jai buvo lemta patekti į labai uždarą geidžiamiausių, neturinčių jokių finansinių rūpesčių ir gerbiamų kurtizanių būrelį.

Už parsidavinėjimą surinktos lėšos buvo skiriamos dievams garbinti. Kas nežinojo, kad Korinte, Kipre ar Sicilijoje egzistuoja šventoji prostitucija? Kas nebuvo girdėjęs, kad ji kilusi iš Azijos ir Egipto bei siejama su Afroditės kultu? Merginos parsidavinėdavo iki pat vestuvių, ir nė vienas vyras už tai nepriekaištaudavo. Taidė greičiausiai žinojo babiloniečių papročius, pagal kuriuos moterys atsiduodavo svetimšaliams meilės deivės Ištarės garbei.

II

UŽ ĮSTATYMO RIBŲ

Gyvenimo sąlygos

Ar Taidei kada nors teko dirbti tuose purvinuose kvartaluose, kur parsidavinėjo menkos, pačios pigiausios prostitutės? Atėnuose jos vaikštinėdavo po puodžių kvartalą, kuriame Solonas savo laikais pastatydino pilkus ir niūrokus namus. Kartais jos iš Kerameiko vedančiu keliu patraukdavo už miesto. Turtingesnieji, galėję sau leisti nesilankyti prekybininkų bei amatininkų kvartaluose, į namus kviesdavosi fleitininkes arba kurtizanes.

Kokius įrašus Taidė palikdavo ant sienų, siekdama privilioti klientus? Ar jos meilužiai aukštindavo jos grožį ant namų fasadų? Nėra abejonės, kad ji, kaip ir grožiu garsėjusi Kerameiko kvartalo gyventoja Melisa, turėjo įkvėpti poetus.

Taidė buvo pernelyg patraukli, kad būtų likusi nepastebėta sutenerių, o jų vis daugėjo Atėnuose, Korinte ir Aleksandrijoje. Ji bendravo su kitomis merginomis, kurias dar visai jaunutes sutenerės buvo priglaudusios ar pigiai nupirkusios turguje. Kartais šias moteris, keletą metų išdirbusias prostitutėmis, vėl parduodavo. Norėdamos gauti daugiau pinigų, sutenerės užsimindavo klientams, kad šios moterys laisvos.

Taidė gerai žinojo, kokia nelaimė yra gimti vargingos graikų šeimos dukra. Ne visi tėvai norėdavo dar vienos burnos namuose, todėl į katilą paguldytą naujagimę palikdavo gatvėje. Tokius vaikus priglausdavo sutenerė ar vergų pirklys, ir jų ateitis, deja, būdavo nulemta. Tikrai retas vyras, kaip vaizduojama Terencijaus pjesėje, priekaištaudavo žmonai už tai, kad ši atsikračiusi vaiko. Taidė pernelyg gerai žinojo, ką reiškia susitaikyti su likimu ir savo jėgomis išsikapstyti iš apverktinos padėties.

Kiek jai teko matyti net paauglystės nesulaukusių mergaičių, pakliuvusių į rankas piratams, kurių jūrose knibždėte knibždėjo? Piratai ne tik vogdavo krovinius atviroje jūroje bei imdavo į nelaisvę moteris, tarp kurių būdavo ir laisvųjų, bet dar ir rengdavo išpuolius uostuose. Retsykiais turguje parduotoms moterims pasisekdavo: jas nupirkę kilnūs ir malonūs vyrai suteikdavo joms laisvę. Už prekybą laisvosiomis moterimis piratams grėsė mirties bausmė. Tačiau pirkėjų netrūko, ir moterys tapdavo graikų tarnaitėmis ar prostitutėmis.

Taidės laikais į vergiją parduodamas vaikas kainavo maždaug penkiasdešimt drachmų, paauglys – nuo dviejų iki trijų šimtų, o vyras – du šimtus drachmų. Taigi nepatyrę vaikai buvo pigesni nei suaugusieji. Bet apskritai kainos buvo didelės: amatininkas per dieną uždirbdavo vieną drachmą, o namas Atėnuose V amžiuje pr. Kr. kainavo apie du tūkstančius drachmų.

Hetera tapusiai Taidei kiekvienas klientas mokėdavo dvi ar tris drachmas. Taigi net ir nepatekusi į Aleksandro Didžiojo dvarą, ji būtų galėjusi gyventi visai neblogai, žinant, kad per dieną graikas pragyvenimui išleisdavo maždaug keturis obolus.

Suvilioti turtingą vyrą

Viešnamių savininkų ir sutenerių likimai dažniausiai buvo panašūs. Viešnamiui vadovaujančios sutenerės anksčiau pačios parsidavinėjo. Atgavusios laisvę moterys pagal sutartį turėdavo buvusiam šeimininkui sumokėti dalį savo pajamų. Šių sutenerių, kartais dirbančių kartu su viešnamio savininku, pamokos pravertė daugeliui tokių moterų kaip Taidė. Jos mokė savo mokines gudrybių, padedančių ištekėti už turtingo kliento ir mesti prostitutės darbą. Viskas priklausydavo nuo to, pas kokią sutenerępatekdavo būsimosios kurtizanės.

Taidė pažinojo kelias labai sėkmingai dirbančias suteneres. Kitos tebuvo blankios šiųjų kopijos; jos nesugebėjo pasiekti aukštesnės socialinės padėties ir nieko negalėjo suteikti savo vaikams. Kokių patarimų galėjo duoti šios moterys? Kaip jų dukros galėjo gauti pakankamą išsilavinimą, kad vieną dieną sužibėtų šalia turtingo vyro? Kaip jos galėjo atkreipti į save dėmesį viešumoje ar puotos metu?

Taidė greičiausiai gerai įsidėmėjo Lukiano *Kurtizanių pašnekesių* veikėjos Krobilės patarimus dukrai Korinai. Aiškindama Korinai, kaip sunku jai buvo išmaitinti šeimą po jos tėvo mirties, Krobilė primena, jog kadaise gyveno pasiturimai ir kad būtų malonu vėl gyventi kaip anksčiau. Jos vyras, dirbęs kalviu, iš tiesų buvo gerbiamas visame Pirėjuje. Pardavusi jo darbo įrankius, dirbdama audėja ir verpėja bei vargiai sudurdama galą su galu, Krobilė suprato, kad tik dukra gali ištraukti jas iš skurdo. Ji uždirbtų daug pinigų, ir jos vėl turėtų tarnaičių, dėvėtų purpurines sukneles ir skaniai valgytų. Taigi Krobilė paragino dukrą dalyvauti išgertuvėse ir mylėtis su jaunikaičiais. Iš pradžių pasipiktinusi Korina atsisakė, bet motina nenusileido. „Nieko čia baisaus, – tikino ji. – Turėsi daugybę meilužių ir uždirbsi krūvą pinigų! Kurtizanės labai vertinamos. Nėra reikalo verkšlenti! Vaikystėje Dafnės dukra lakstė basomis kojomis ir skarmaluota. Šiandien ji rengiasi kaip karalienė, dabinasi papuošalais, o jai patarnauja keturios tarnaitės!"

Taigi dešimtmetė Korina tapo prostitute. Jos pirmasis klientas davė miną. Iš šių pinigų moterys gyveno keletą mėnesių. Krobilė pati rūpinosi dukterimi ir skaistalais bei įvairiomis priemonėmis padarė iš jos tikrą gražuolę. Taidę taip pat visada viliojo lengvai uždirbami pinigai. Ji irgi puikiai išmanė gundymo meną. Tačiau neturėjusioms tam gabumų reikėjo mokytis. Taidė ne tik buvo gundymo meno žinovė, bet ir mokėjo įtikinti vyrus daryti tai, ko ji nori.

Patraukioji Taidė

Taidė buvo nepaprastai patraukli: jos eisena buvo labai grakšti, laikysena tiesi ir didinga, o daugelis kurtizanių turėjo mokytis vaikščioti. Nors buvo gana aukšta, ji, kaip ir kitos kurtizanės, į sandalus įsidėdavo kamštinės žievės vidpadžius, kad taptų aukštesnė ir gražiau atrodytų su ilga tunika. Kartais tarnaitei įsakydavo prie batų prisiūti padus taip, kad jų nesimatytų: taip ji paaukštėdavo dar keliais centimetrais!

Nors jos kūno formos vyrams patiko, Taidė greičiausiai griebdavosi to meto gudrybių: tunikoje ties klubais įsiūdavo savotišką turniūrą, dėl to sėdmenys atrodydavo apvalesni, audeklo skiautėmis padidindavo krūtinę ir taip pridengdavo atsikišusį pilvą ar padarydavo figūrą proporcingesnę, o makiažu paslėpdavo spuogus ar negražius randus.

Net ir pasiekusi privilegijuotą padėtį, Taidė ilgai naudojo prostitučių gražinimosi būdus. Graikijoje jos išsiskirdavo iš kitų moterų gausiu makiažu. Antakius, nuo kurių priklauso žvilgsnio išraiškingumas, prostitutės dažniausiai juodindavo suodžiais. Blondinės ir raudonplaukės jais tamsindavo plaukus.

Nors moterys kartais vykdavo į kurortą ir grįždavo įdegusios, madinga buvo šviesi oda. Taidė odą šviesindavo švino baltalu, – tuo metu tai buvo įprasta priemonė. Ilgų Aleksandro Didžiojo žygių metu, svilinant dykumos saulei, Taidė tepdavo veidą ir pečius švino baltalu, kad apsisaugotų nuo kaitrių spindulių – ji turėjo atrodyti keistokai. O jeigu nuspręsdavo, kad oda pernelyg blyški, skruostus parausvindavo purpuriniais dažais, kuriuos visur su savimi vežiojosi mažuose alebastro indeliuose. Šie dažai buvo gaminami iš tam tikrų dumblių.

Kartais su švino baltalu Taidė maišydavo švino karbonatą. Šiuo mišiniu ji netgi apsibarstydavo plaukus. Jei kas nors primindavo, kad nuo saulės apsisaugoti būtų daug paprasčiau, jei labiau prisidengtų kūną, Taidė tik pasijuokdavo. Ir kas galėjo ją priversti prisidengti pečius: juk gundymas buvo jos pagrindinis ginklas.

Taidė ryškiai raudonai dažydavo lūpas, norėdama pabrėžti dantų baltumą. Kartais ji būdavo įsikandusi gėlės stiebelį, kad atrodytų patrauklesnė. Iš šio kurtizanių įpročio šaipėsi satyrikai. Atėnajas gana taikliai pastebėjo (XII, 557), kad tokios moterys primena stirnų galvas su mirtomis dantyse ant mėsininkų prekystalių.

Taidė mokėjo šokti, dainuoti ir groti lyra bei fleita. Ji dažnai dėvėdavo spalvingas tunikas, taip išsiskirdavo iš kitų moterų, buvo koketiška ir rafinuota. Kadaise jai teko maudytis viešosiose pirtyse, tačiau dabar ji naudojosi atskiru vonios kambariu ir į kiekvieną kelionę pasiimdavo visus kūno priežiūros reikmenis. Ji niekada nesiskirdavo su soda, moliu, kalkakmeniu, kūno prausikliu, plaukų šalinimo pasta bei skustuvais.

Taidė nepaprastai didžiavosi ilgais plaukais, – šeimininkui patarnaujantys vergai dažniausiai būdavo labai trumpai nukirpti. Plaukus ji gaubdavo tinkleliu, susukdavo į kuodą ar sukeldavo, prismeigdama kaulinėmis, bronzinėmis ar dramblio kaulo šukomis: svarbiausia, kad plaukai atrodytų vešlūs, nes jie buvo ir jos laisvės simbolis, ir puiki gundymo priemonė. Norėdama išsiskirti iš varganų gatvės prostitučių, Taidė dabindavosi reto grožio papuošalais: auskarais, rankų ir kojų apyrankėmis, juosmens grandinėlėmis, vėriniais, – šios dovanos visiems bylojo, kad Taidė tapo įžymia kurtizane.

Apsvaigusi nuo vyno, Taidė prikrėsdavo kvailysčių. Tada ji priimdavo neprotingus sprendimus ir įkalbėdavo vyrus, su kuriais bendraudavo, imtis abejotinų žygių. Tačiau dažniausiai per pokylius ir spektaklius ji mokėjo elgtis kaip dera kurtizanei, lydinčiai garsius vyrus. Jei vyrai įsilinksmindavo, ji džiūgaudavo kartu su jais. Jeigu jie kvatodavo, ji irgi juokdavosi, bet savo juoku jų neužgoždavo. Ji visada buvo taktiška ir nekoketuodavo su kitais vyrais. Gerdavo ir valgydavo saikingai, išskyrus tuos atvejus, kai pokylis virsdavo orgija, kurios metu taurės ritinėdavosi grindimis. *Kurtizanių pašnekesiuose* Lukianas moko, kaip turi elgtis heteros: valgį jos turinčios imti pirštų galiukais, gerti mažais gurkšneliais, nesiurbiant, negalima kimšti už žandų, reikia laikytis kukliai, daug nekalbėti, nesekti mėsa apsiryjančių moterų pavyzdžiu ir niekada nesišaipyti iš lydimo vyro draugų.

Taidė puikiai išmanė meilės subtilybes. Kartais, kai būdavo ypač patraukli, ji laikydavosi santūriau, kad vyrai dar labiau degtų iš meilės. Jos tikslas buvo ne kuo daugiau klientų turėti, bet suvilioti galingiausius ir turtingiausius. Gauti patarimai nenuėjo veltui. Kartais, siekiant patogesnio gyvenimo, labiau apsimokėjo rinktis negražius, bet turtingesnius vyrus. Gražūs ir jauni vyriškiai mokėdavo mažiau, bet jiems padedant buvo galima patekti į aukštuomenę.

Apsisaugojimas nuo nėštumo

Taigi hetera Taidė buvo labai patraukli vyrui, trokštančiam malonios bei garbios draugijos ir nepageidaujančiam nei žmonos, nei vaikų. Iš visų gudrybių pirmiausia ji išmoko, kaip išvengti nėštumo. Iš tiesų kontraceptinės priemonės ir persileidimą sukeliantys receptai buvo žinomi visuose viešnamiuose. Visos, net ir pačios jauniausios, prostitutės žinojo, kaip nepastoti nuo atsitiktinių klientų. O patekusios į turtingo ir galingo vyro aplinką, jos tapdavo dar budresnės.

Nebuvo net kalbos, kad viskas žlugtų dėl neatsargumo. Apie daugybę mišinių šiandien žinome iš medicinai skirtų papirusų ir graikiškų bei lotyniškų veikalų. Tekstai rodo, kad, be augalų, buvo griebiamasi ir magijos. Deja, šie receptai nebuvo visiškai patikimi. Todėl prostitutėms tekdavo rinktis tarp amato ir vaikų. Pastaruosius jos dažniausiai palikdavo arba priversdavo parsidavinėti. Kurtizanės nepageidaujamą nėštumą stengdavosi nuslėpti, o kai ateidavo laikas gimdyti, sugalvodavo kokią nors gudrybę.

Kadangi kontraceptiniai mišiniai buvo brangūs, dažniausiai pastodavo skurdžiausių kvartalų prostitutės. Taidė galėjo įsigyti rečiausių prekių: opopanakso, Kirėnės balzamo ir vaško, juos reikėjo užgerti vandeniu skiestu vynu arba praryti kartu su gvazdikų, mirtų bei garstyčių sėklomis, sumaišytomis su baltaisiais pipirais ir medumi.

Kurtizanės atlikdavo daugybę vaisingumą slopinančių ritualų. Vienos kiekvieną mėnesį į makštį įsikišdavo vandenyje išmirkytą avinžirnį, išteptą Kirėnės balzamu. Kitos naudodavo gaubtuvėlius ir kontraceptikuose išmirkytos vilnos skiauteles. Kontraceptikai irgi buvo labai reti ir nepaprastai brangūs: vandenyje išmirkytos ženšenio šaknys, granatų gabaliukai, alūnas, figos, kartais sumaišytos su dirginančiomis medžiagomis, tokiomis kaip salietra ar žemė, naudojama tualeto reikmėms.

Priemonių, kurių kadaise griebdavosi Egipto moterys, niekas nebenaudojo. Nė viena moteris nebepasitikėjo amuletais, magiškomis mikstūromis, augalų galiomis. Gerokai patikimiau buvo laikytis Aristotelio *Gyvūnų istorijoje* duotos rekomendacijos: prieš santykiaujant vartoti kedrų aliejų, sumaišytą su švino baltalu ir smilkalais. Kaskart prieš bendraudama su vyru Taidė išsitepdavo mikstūra iš alyvų aliejaus, medaus, kedro sakų, balzaminės tuopos syvų, mirtų aliejaus ir vaško bei sviesto mišinio. Bet negalima tvirtinti, kad ji visai nesilaikė prietarų, – juk net Romos rašytojai moterims, norinčioms išvengti nėštumo, siūlydavo prie kairės pėdos prisitvirtinti liūtės gimdą ar katės kepenis! Dar vienas būdas tapti nevaisingai – valgyti salierus ir paparčius, ant pilvo užsidėjus odinį maišelį su tarantulo kiaušinėliais.

Taidė seniai naudojo įprastą kurtizanių būdą – sulaikyti kvėpavimą lytinio akto metu. Ji turėjo būti ganėtinai išradinga, kad patenkintų partnerį, neatskleisdama savo gudrybių ir pastangų. Ji žinojo, kad meilužiams patinka jos aistringi judesiai ir geidulingos dejonės, o tai nebuvo rekomenduojama, jei moteris norėjo susilaukti vaiko. Vyrų manymu, tai buvo būdas išvengti nėštumo ir nepriimti sėklos.

Vos atsiskyrusi nuo meilužio, Taidė keldavosi ir skubėdavo į vonią. Ten ji liepdavo tarnaitei sukelti jai čiaudulį ir atsitūpdavo, kad ištekėtų sėkla. Paskui kruopščiai apsiplaudavo ir atsigerdavo šalto vandens. Tuo metu tarnaitės jai ruošdavo mišinius ir ekstraktus iš petražolių, paparčių, rūtų, gluosnių, pušų žievės, granatų, sieros ir vario sulfato. Pigesnis būdas išvengti nėštumo – santykiaujant naudoti šaltą vandenį. Apie tai plačiai kalba Ovidijus *Meilės mene*.

Jei visos šios priemonės pasirodydavo neveiksmingos, kurtizanę galėjo išgelbėti tik persileidimas. Graikijoje ir Romoje persileidimai buvo įprastas dalykas. Moterys mankštindavosi, darydavo staigius ir energingus judesius, leisdavosi į ilgą kelionę neštuvais, jodinėdavo. Garsusis gydytojas Hipokratas Kosietis V amžiuje pr. Kr. rekomendavo kraujo nuleidimą, kontrastines vonias, masažą, šlapimą varančius nuovirus, aštrius patiekalus, aitrius gėrimus, karštus kompresus ir įtrynimus vilkdalgių, aliejaus, kiečių, medaus, kruopų bei Sirijos tepalo mišiniu. Kai kurios priemonės buvo dar radikalesnės, pavyzdžiui, gaubtuvėliai iš mirtų, leukonijų ir lauro lapų arba bronzinės adatos.

III

TAIDĖS PRIVALUMAI

Pravardės

Apie tokias įžymias kurtizanes kaip Taidė žinome iš vazose išraižytų jų pravardžių ir įrašų. Nežinia, ar šie daiktai priklausė klientams, ar pačioms heteroms; šiaip ar taip, jie byloja, kad Graikijoje gyveno „Glikera"* ir kad ji, kaip rodo jos vardas, buvo labai švelni. Kita hetera, bendraudama su meilužiais, nuolatos stebėdavo lėtai tekantį vandenį ir taip apskaičiuodavo laiką, todėl buvo praminta „Klepsidra"**. Garsiąją Frinę, nepaisant jos grožio, dažnai vadindavo „Rupūže", o dar vienos ne ką mažiau garsios kurtizanės žvilgsnis, rodos, buvo sustingęs ir neišraiškingas, dėl to ją pravardžiuodavo „Jautake".

Neaišku, kokių pravardžių turėjo Taidė. Yra žinoma, kad ji buvo išdidi ir nesukalbama, valdinga ir žiauri. Bet kaip ją vadino meilužiai, pabrėždami vieną ar kitą jos ypatybę? Kitas moteris pravardžiuodavo „Storaja žąsimi", „Bite", „Karve",

---

* Gr. *glykys* – saldus, malonus.
** Klepsidra – vandens laikrodis (gr. *klepsydra* – vandens vagilė).

„Ožka", o kaip vadino Taidę, kuri dar jaunystėje spėjo susirasti ją išlaikantį turtuolį?

Dauguma heterų neturėjo vilties ištekėti ar būti mylimos, geriausiu atveju sutikdavo nusenusį turtuolį, kuris sutikdavo kartu nugyventi jam likusias dienas, o Taidei ne tik teko laimė būti garsių vyrų mylimąja, bet netgi pavyko suvilioti jauną ir gražų Aleksandrą Didįjį. Vis dėlto ji negalėjo girtis jaunojo didvyrio meile, nes tebuvo viena iš jo haremo moterų. Tačiau kaip Aleksandras mėgo jos draugiją ir kaip atidžiai kartais jos klausydavosi! Vis dėlto hareme Taidė turėjo nemažai varžovių, nes Aleksandrui patiko labai jaunos mergaitės. Iš tiesų tais laikais populiariausioms prostitutėms buvo ne daugiau nei dešimt metų.

Sutartys

Daugelis heterų, menininkų ar politikų nusamdytos savaitei, mėnesiui ar sezonui, su klientu pasirašydavo sutartį. Mainais už rodomą meilumą jos gaudavo pinigų, visokių gėrybių ir pažadą būti globojamos.

Taidė dažnai rodydavosi viešumoje. Moteris žinojo, kad vyrai ją renkasi dėl to, kad ji, tarsi puikus kinkinys ar prabangūs rūmai, buvo galybės ženklas. Todėl ji puikiai išmanė, kaip reikia elgtis pokylyje ar šventėje, ir buvo tikra, kad tokiuose renginiuose nesutiks teisėtų žmonų. Pastarosios viešosiose šventėse vyrą lydėdavo labai retai. Net lydėdama meilužį namo, Taidė nesibaimino pavydžios žmonos burnojimo, nes ši dažniausiai tūnodavo ginekėjoje.

Iš tikrųjų viskas buvo ne taip paprasta, nes kartais graikės pavyduliaudavo taip pat smarkiai kaip ir egiptietės. Išliko pasakojimų apie istorinėmis tapusias šeimynines scenas. Kiek kartų pasileidėlio Alkibiado žmona iškeikė vyrą, į namus parsivedusį kurtizanių! Galų gale ji netgi išėjo iš namų.

Vis dėlto daugelis vyrų nelaikė kurtizanių vertomis pagarbos. Prostitutėmis jie nesirūpino, o kai kurie netgi įkinkydavo jas į vežimą vietoj arklių! Toks reginys labai linksmino atėniečius ir puikiai parodo, kiek graikams terūpėjo viešosiose vietose besilankančios moterys.

Taidė puikiai mokėjo tvarkyti reikalus. Nėra abejonės, kad ji gebėdavo įtikinti vyrus pasirašyti sutartį ir sudaryti stambų sandorį. Kartais heteras samdydavo tokiai užduočiai atlikti. Klientas taip pat galėjo kreiptis į Taidę, norėdamas paskleisti kokį nors gandą ar žinią. Moterį supo paslapties aureolė, nes, kaip ir daugelis kitų heterų, ji tikrai dalyvaudavo tam tikrose misterijose ar ritualuose, skirtuose tik kurtizanėms. Be abejo, ji garbino deivę Afroditę, kuri, kaip manoma, buvo gimusi Kipre, taip pat Adonį. Ar ji dalyvaudavo Eleusino misterijose, siekdama amžinosios laimės? Ar buvo apvalyta kaip Frinė, viename Apelio paveiksle pavaizduota lipanti iš vandens?

Pripratusi prie prabangaus gyvenimo, Taidė didžiavosi savo padėtimi ir nevengdavo pademonstruoti tvirto charakterio. Laisvųjų heterų ir nepriklausomų kurtizanių buvo nepaprastai mažai. Daugelis jų priklausė suteneriui. Todėl Taidės protas, savitvarda ir sugebėjimas iš visko gauti naudos iškėlė ją į šio amato aukštumas.

Pasilinksminimų vietos

Kerameiko kvartale dažniausiai lankydavosi neturtingi graikai, o sutenerių namuose, kur gyveno jų apmokytos merginos, svečiuodavosi įžymūs vyrai. Taigi Kerameiko kvartale ir kitose, labiau lankomose, vietose kainos skyrėsi. Tačiau užmokesčiai viršydavo visas ribas, kai buvo kreipiamasi į tokias garsias ir populiarias moteris kaip Taidė.

Kerameiko kvartalo merginų darbas labai skyrėsi nuo populiariausių heterų veiklos. Prostitutės dažniausiai vaikštinėdavo po uostus ir ieškodavo klientų. O jeigu ten neidavo pačios, tai siųsdavo tarnaites. Kai tik į uostą atplaukdavo laivas, merginos sužinodavo, ar laivas didelis, kas jo savininkas ir, jeigu pavykdavo, ar jis turtingas. Jeigu vyriškis pasiduodavo vienos kurios vilionėms, galėjai beveik neabejoti, kad jo laukia skurdas, nes šios moterys buvo gudrios ir patyrusios. Prostitutės laukdavo ir netoli uostų; jos kviesdavo vyrus atsiduoti malonumams, rodydamos diržus su išsiuvinėtais pasiūlymais sekti paskui jas į viešnamį.

Konkurencija ypač sustiprėdavo, jei klientas pasirodydavo dosnus. Moterys tučtuojau nusižiūrėdavo turtingus pirklius, prekybininkus, iš Rytų atgabendavusius prabangos prekių, garsius politikus, įžymius oratorius ir karvedžius, grįžtančius iš karo su didžiuliu grobiu.

Korintas buvo vienas tų miestų, iš kurių mažai kas išvykdavo nepatuštinęs piniginės. Turtingiausi piliečiai ten išleisdavo daugybę pinigų šventosioms prostitutėms. Kai kurios Peloponeso kurtizanės už vakarą reikalaudavo daugiau nei tūkstančio drachmų. Tai milžiniška suma, žinant, kad dauguma Kerameiko kvartalo moterų prašydavo nuo dviejų obolų iki penkių drachmų. Mažiausias muzikančių ar dainininkių atlygis buvo dvi drachmos. Vis dėlto šių pinigų nėra ko lyginti su įžymių kurtizanių kainomis. Laidė iš filosofo Demosteno pareikalavo dešimt tūkstančių drachmų! Demostenas nusprendė, kad geriau apsieiti be kurtizanės draugijos, nei mokėti tokią sumą. Taidė greičiausiai irgi reikalaudavo ne ką mažiau.

Heteros buvo suinteresuotos kuo labiau pakelti kainą, nes tada iš kito kliento jos galėjo prašyti dar daugiau. *Kurtizanių pašnekesiuose* Lukianas pateikia iškalbingą pavyzdį. Kurtizanė ilgai nesvarstė, kurį pasirinkti: neturtingą jūreivį, siūliusį jai batus, kvepalų ir maisto, ar Atėnuose apsistojusį svetimšalį, pasirengusį jai padovanoti suknelių, papuošalų, pusbrangakmenių, šimtus drachmų kainuojančių kilimų ir netgi sumokėti nuomą už būstą!

Beprotiškos kainos

Taidė nemažai keliaudavo, kaip ir daugelis įžymių kurtizanių. Ją galėjo nusamdyti vakarui, šventei, metams, – kainos priklausė nuo laikotarpio. Nupirkti ją galėjo ir svetimšalis: tada ji išvykdavo iš savo šalies iš anksto numatytam laikui. Kadangi tokios heteros užsiprašydavo labai daug, neretai, norėdami gauti trokštamą moterį, pinigus sudėdavo keletas klientų. Tokia išeitis nebuvo priimtina, jei klientai buvo draugai ir laikėsi taisyklių. Kartais nutikdavo ir taip, kad pirmasis meilužis išsiveždavo kurtizanę su savimi, užuot perleidęs ją kitam. Todėl sutarčių laikymąsi kontroliavo įstatymai. Klientų ginčai buvo taip plačiai žinomi, kad net tapdavo tokių autorių kaip Aristofanas satyrų siužetais.

Kartais užsieniečiai atsisakydavo sumokėti suteneriui, ir šis paduodavo klientą į teismą. Bet jeigu suteneris pats būdavo svetimšalis ir graikai į jį žiūrėdavo kreivai, bylą dažniausiai laimėdavo klientas. Suprantama, kodėl suteneriai skųsdavosi savo amatu ir mieliau rinkdavosi gėlininkų ar vynuogių pardavėjų darbą.

Kai kurios heteros buvo tokios brangios, kad viską apskaičiavę klientai nuspręsdavo, jog pigiau atsieis jas nusipirkti, o ne samdyti. Tada kurtizanes parduodavo už aukščiausios klasės vergo kainą. Ir šiuo atveju moterį galėjo nusipirkti iškart keletas vyrų, dažniausiai suteikdavusių jai laisvę, kai sumanydavo vesti. Tokios heteros kainuodavo trisdešimt minų. Todėl kartais pirkėjai reikalaudavo, kad heteros mainais už laisvę sumokėtų dalį savo kainos. Jie netgi suteikdavo jai paskolą! Sudarydamos tokias sutartis, heteros dėl reikiamos sumos neretai kreipdavosi į buvusius klientus. Jei kuris nors sutikdavo sumokėti, jis tapdavo heteros patronu, tačiau moteris išsaugodavo teisę pati tvarkyti savo pajamas.

Tokio likimo sulaukė Neaira, kurią Demosteno sūnėnas Frinonas išpirko iš dviejų savininkų. Ištvirkėlis Frinonas ją vesdavosi į visus pokylius ir kartais skolindavo draugams. Vis dėlto daugelis savininkų norėjo, kad heteros būtų jų vergės, – vien jau dėl to, kad galėtų pasisavinti jų pinigus. Todėl laisvę atgaudavo reta moteris. Šiaip ar taip, heteros niekada nebuvo visiškai laisvos, nes net ir nebeturėdamos savininko priklausydavo nuo patrono valios. Tačiau patrono ir kliento santykius iškęsti buvo lengviau, nei vergo ir savininko. Iš tikrųjų jos likdavo priklausomos nuo vyro tol, kol nesumokėdavo jam už savo laisvę.

Iš pokylio į pokylį

Taidė turėjo progos įsitikinti, kad graikų filosofai labai vertino heteras ir mielai su jomis bendraudavo, nors apskritai moterys buvo peikiamos, pavyzdžiui, Platono kūriniuose. Epikūrą supdavo keletas kurtizanių, su kuriomis jis mielai šnekučiuodavosi. Aristoteliui kurtizanė Herpilidė pagimdė sūnų. Išmintingasis Sokratas, kurį sujaudinti buvo ne taip paprasta, žavėjosi Teodotėja. Taigi kurtizanės lydėdavo mokslininkus į pokylius. Jeigu tokių moterų pritrūkdavo, svečiams įtikti trokštantis šeimininkas nusamdydavo jas paskutiniu momentu, kaip ir muzikantes ar šokėjas.

Net pritrūkus moterų šeimininkui negrėsė didelės išlaidos: paprastoms prostitutėms ar kitara grojančioms muzikantėms nusamdyti užtekdavo dešimties drachmų. Jis taip pat galėjo kreiptis į kokį nors draugą, kuris vertėsi moterų nuoma vienam vakarui, o oficialiai dirbo ką kita, kad nereikėtų mokėti mokesčių. Kai kurios laisvosios moterys paslapčia keliaudavo iš namų į namus, siūlydamos savo paslaugas ir sužinodamos, kur rengiama kita šventė. Siekdamos paįvairinti teikiamus malonumus, kai kurios išmokdavo akrobatų triukų, kuriuos atlikdavo su šokėjomis.

Šiuos pokylius aprašė Hipolachas kūrinyje *Karano puota*. Jis pasakoja apie iš Rodo kilusias moteris, skambinančias sambuka, nuogas šokėjas ir šokėjus styrančiais peniais, žonglierius, nuogas akrobates, atliekančias numerius su špagomis, bei spjaudytojus ugnimi. Šventės vykdavo iki gilios nakties, kol virsdavo orgijomis. Tada artistės tapdavo prostitutėmis, patenkinančiomis kiekvieno svečio aistras.

Svečiai žaisdami išsirinkdavo, su kuo praleis naktį. Šaukdami pasirinktos merginos vardą, jie šliūkštelėdavo taurėje likusį vyną į milžinišką indą, stengdamiesi nepralieti pro šalį. Vieniems patikdavo nuogi šokėjai, kiti pageidaudavo kuo jaunesnių moterų.

Puotų metu Taidei nereikėdavo laukti, kol ją išsirinks, nes, būdama nepaprastai populiari, hetera galėdavo pati dalyvauti žaidime ir nurodyti, ko pageidauja nakčiai. Neretai jai tekdavo žaisti ir kitą, naujoviškesnį, žaidimą: pasirinktam vyrui reikėdavo mesti vaisių su įrašu. Dažniausiai geidžiamam žmogui buvo metami santuokos vaisiai – svarainiai ir obuoliai.

Taidė didžiavosi, galėdama rinktis pati, o ne būti pasirinkta. Turbūt ji mokėjo kuo ilgiau pratęsti malonumą, nes norinčiųjų su ja praleisti naktį buvo nemažai. Nedaugelis moterų turėjo teisę pačios rodyti iniciatyvą. Ant kai kurių graikų vazų nupieštos stulbinančios moterys. Taip pat randama pavaizduotų orgijų scenų, nes, be jokios abejonės, dažniausiai puotos baigdavosi ištvirkavimu. Tokiuose vakarėliuose heteros buvo ypač laukiamos. Susirinkusieji jas lygindavo vieną su kita ir aptardavo kiekvienos sugebėjimus lovoje.

Puotos pabaigoje, prieš atsiduodant aistroms, šeimininkas neretai būdavo paruošęs ypatingą reginį. Dažniausiai tai būdavo vienveiksmis erotinis spektaklis, kurį rodydavo aktoriai iš užsienio. Replikos ir mizanscenos daugiausia buvo mitologinių siužetų: Ariadnė atsiduoda Tesėjui; prisigėrę vyno, Dionisas su Ariadne mėgaujasi malonumais. Ksenofonto *Puotoje* vaizduojamas Dioniso ir Ariadnės miegamasis jų vestuvių naktį. Įžengia Ariadnė, apsirengusi vestuvine suknele. Ją išvydęs Dionisas šoka aplink, paskui prisitraukia prie savęs ir pasisodina ant kelių. Jis švelniai ją bučiuoja, o įsilinksminę svečiai šūksniais ima reikalauti drąsesnių glamonių. Tada meilužiai atsistoja ir atsiduoda geismui, užmiršę juos supančius žiūrovus. Svečiai su heteromis netrukdavo pasekti aktorių pavyzdžiu. Vynas, žaidimai, pokštai, nuogos moterys, akrobatų triukai ir erotinės scenos įkaitindavo jausmus. Šeimininko nusamdytos kurtizanės patenkindavo svečių aistras.

Ar heteros mėgo tokius pokylius? Ar jos vertėsi tokiu amatu, nes buvo priverstos? Sunku pasakyti, ką šios moterys manė apie savo padėtį. Nors kurtizanės nebuvo gerbiamos, jokia privilegijuotą padėtį pasiekusi hetera nė už ką pasaulyje nebūtų užleidusi savo vietos. Jos keliaudavo, susitikinėdavo su protingais vyrais, daug mokydavosi, turėjo teisę lankytis ten, kur kitos moterys įžengti negalėjo. Jos buvo labiau išsilavinusios nei graikų žmonos. Nesivaržančios ir iškalbingos kurtizanės buvo laukiamos pokyliuose, kurių pabaigoje įsisiautėdavo aistros.

IV

NELENGVAS AMATAS

Senatvės grėsmė

Iš Isajo ir Demosteno viešųjų ir ginamųjų kalbų matyti, kad, nepaisant šlovės, įstatymai nepripažino heterų profesijos ir jos, kaip ir ne tokios žymios prostitutės, vertėsi nelegalia veikla. Vis dėlto graikai jas toleravo ir jomis žavėjosi, kartais netgi laikydavo teisėtomis žmonomis. Hetera, kuri rodydavosi viešumoje su tuo pačiu vyru, turėdavo nuo jo vaikų ir būdavo graikė, buvo prilyginama sugyventinei ir sutuoktinei. Tai tapo įprasta nuo V amžiaus pr. Kr.

Tačiau sandoriai neišnyko. Jei hetera nebuvo laisva, dėl kainos tardavosi jos savininkas. Ambicingoji Taidė siekė tokių tikslų, apie kuriuos daugelis nedrįso net svajoti. Bėgant amžiams, heteros darėsi vis reiklesnės ir vis labiau pasikliaudavo sėkme. Helenizmo laikotarpiu kai kurios kurtizanės susikrovė tokį turtą, kad daugelis ėmė viltis beprotiškiausių dalykų. Taidė netgi galėjo išvardyti keletą moterų, tapusių karalienėmis. Iš tiesų Plutarchas *Erotikoje* pateikia stulbinamų pavyzdžių: obojumi grojančioms muzikantėms ir iš graikų salų kilusioms šokėjoms pavykę parklupdyti sau po kojomis karalius. Aristonika, puikiai tambūrinu grojanti Oenantė, Agatoklėja sugebėjusios apsukti karaliams galvas.

Vis dėlto išsaugoti įgytą laisvę, užsitikrinti rytdieną nebuvo paprasta net tokioms kurtizanėms kaip Taidė, nes visos baiminosi senatvės. Taidė buvo priversta taikstytis su globėjo užgaidomis, nes nuo jo priklausė jos ateitis. Populiariausiuose miestuose, kaip Atėnai ar Korintas, suteneriai stengdavosi pašalinti moteris, dirbančias savarankiškai.

Globėjo neturinčioms moterims ne mažiau baisūs buvo ir karai, nes tuo metu pokyliai tapdavo retesni, o klientų visai sumažėdavo. Taidei teko patirti sunkių laikų, kai heterų ir paprastų prostitučių gyvenimas toli gražu nebuvo saldus. Blokados, dėl kurių į graikų uostus negalėdavo atvykti turtingi jūrininkai, pirkliai ar pasiturintys svetimšaliai, prostitutes, neretai išmaitindavusias visą šeimą, įstumdavo į tikrą skurdą.

Kaip ir visos kurtizanės, Taidė bijojo pasenti ir netekti globėjo. Jai ne kartą teko matyti, kaip po kurio laiko kadaise ištikimi klientai palikdavo kurtizanes, nebeįstengiančias jiems patikti. Net jeigu Taidė taupė pinigus ir turėjo daugybę papuošalų, ji vis tiek bijojo prarasti aukštą socialinę padėtį ir netekti globėjo.

Frinė

Satyrose vaizduojamos heteros ir patrauklios, ir kartu niekingos. Komedijų autoriai dažnai išjuokdavo jų nepastovų gyvenimą, ydas ir po rafinuota išvaizda slepiamą vulgarumą. Ar, kaip ir daugelis kitų kurtizanių, nerimaudama dėl ateities, Taidė irgi tapo šykšti ir godi? Heteros nežinojo, kas yra gailestis ir užuojauta.

Tai savo kailiu patyrė buvęs Frinės meilužis. Po to, kai nusi-
gyveno, kurtizanė į jį nebekreipė jokio dėmesio. Iš Tespijos
kilusi Frinė buvo be galo išdidi. Ji tikras žavios ir didingos, dėl
nieko nesijaudinančios kurtizanės pavyzdys. Kai kurių teigi-
mu, ji buvo vadinama „Sietu", nes atidžiai rinkdavosi meilu-
žius, kuriuos paskui visiškai nuskurdindavo. Tvirto charakte-
rio, savimi pasitikinti gražuolė Frinė suviliojo areopago narį.
Tačiau ši išdidi, nejautri ir godi tobulo grožio hetera kruopš-
čiai slėpė savo gyvenimą nuo aplinkinių ir vengė smalsių žvilgs-
nių. Ji turėjo kuklios moters reputaciją, niekada nesilankyda-
vo viešosiose pirtyse, o rengdavosi kaip aukštuomenės mote-
ris – įsisupdavo į ilgą tuniką.

Vis dėlto pasakojama, kad per Eleusino šventes ji neskubė-
dama eidavo prie jūros ir, prieš brisdama maudytis, nusireng-
davo, parodydavo visą savo grožį ir ilgus plaukus. Dailininkas
Apelis buvo taip sužavėtas, kad užsigeidė savo kūrinyje įam-
žinti šią sceną.

Aukštuomenės moters gyvenimo ir turtų Frinei buvo maža,
ji troško ir šlovės, todėl mielai vakarodavo menininkų draugi-
joje. Frinės kūną įamžino ne tik Apelis, bet ir skulptorius Pra-
ksitelis. Ji pozavo, kai šis kūrė Veneros statulą. Statula buvo
pastatyta šventykloje, kur visi galėjo iki valios ja grožėtis. Pra-
ksitelis ant jos aiškiai parašė, kad, vos išvydęs Frinę, jis supra-
to radęs Meilės atvaizdą.

Frinė turėjo tiek pinigų, kad Korinte pati statydindavo pa-
minklus. Tam niekas neprieštaravo, tačiau ilgainiui Frinė tapo
tokia mylima, garbinama ir aukštinama, kad moterims tai ėmė
nepatikti. Susimokiusios prieš heterą, jos atskleidė kurtizanės
gyvenimo paslaptis, jos santykius su meilužiais, elgesį viešna-
miuose. Atsirado keletas buvusių meilužių, sutikusių papasa-
koti, kokios orgijos vyksta miegamuosiuose. Moterys apipylė

Frinę priekaištais už tai, kad ši laikanti save gražia kaip deivė, trokštanti, kad ją garbintų, nors savo elgesiu nenusipelno jokios pagarbos. Netgi sklido kalbos, kad Frinė sumaniusi naują šventę su misterijomis, įtartiną ir nedorovingą. Jos metu Frinė buvo garbinama kaip Venera.

Tačiau Frinė taip pasitikėjusi savimi, kad atšovusi: „Jei pareikalaučiau, už vieną meilės naktį su manimi Atėnų žmonės parduotų man savo miestą!" Už tokius žodžius Frinei niekas negalėjo dovanoti. Sofistas Eutijas, kurį Frinė kitados buvo atstūmusi, apkaltino moterį piktnaudžiavimu savo teisėmis ir pareikalavo skirti jai mirties bausmę. Ginti išdidžiosios Frinės stojo jos buvęs meilužis Hipereidas, puikus oratorius ir prityręs advokatas. Tačiau, nepaisant jo pastangų ir neprilygstamos iškalbos, teisėjai buvo nepalenkiami. Todėl Hipereidas privedė Frinę arčiau. Jis nuplėšė tuniką ir apnuogino heteros kūną. Teisėjai iškart pakeitė nuomonę. Jie atsisakė skirti mirties bausmę tokio grožio moteriai, šventykloje garbinančiai deivę Venerą.

Apie teismą žinojo visos kurtizanės. Jeigu Frinę būtų nuteisę myriop, daugeliui tai būtų buvęs įspėjimas, kad ir jos gali susilaukti tokio pat likimo. Išgirdusios, jog Hipereidas užkirto kelią nuosprendžiui, jos lengviau atsikvėpė ir nusprendė jam atsidėkoti. Bakchidė, dar viena oratoriaus meilužė, viešai padėkojo jam visų heterų vardu.

Frinė ir sendama išliko graži, todėl turėjo meilužių iki pat mirties. Jos vienintelis trūkumas buvo gelsvoka odos spalva. Dėl to ją ir vadino Frine, – vardas skambėjo panašiai kaip *phrygga*, „varlė". Frinė susikrovė tokius turtus, kokius turėti galėjo tik pats karalius. Timoklis *Nerėjoje*, Amfis ir Posidipas *Efesietėje* teigia, kad šie pinigai buvo uždirbti nedorai ir negarbingai. Be abejo, Frinė dažėsi pernelyg ryškiai, jeigu tikėsime tuo, ką rašė Aristofanas: „Vietoj Frinės veido – vaistininko arsenalas". Kur ir kokiais metais ji mirė? Tai lieka paslaptis, tik žinoma, kad Pausanijas kvietė žmones sudėti pinigus ir Dianos šventykloje Efese pastatyti auksinę statulą. Tai paskutinis Praksitelio kūrinys Frinės garbei.

Nestabili padėtis

Taigi Taidei Frinė atrodė sektinas pavyzdys – moteris, niekada nesigėdijusi savo padėties ir išdidžiai atlaikiusi visus įžeidinėjimus. Ji išsigelbėjo dėl savo grožio ir buvo prilyginta deivėms. Tačiau graikai į viską žiūrėjo blaiviai. Vienoje iš savo ginamųjų kalbų Demostenas tvirtino, kad vienas moteris vyrai laiko bičiulėmis, teikiančiomis malonumus ir džiuginančiomis sielą, kitos numalšina jų aistras, o teisėtos žmonos jiems gimdo vaikus ir prižiūri namus. Iš tiesų žodis „hetera" reiškia „gražioji draugė", o poetas Efipas kurtizanes netgi prilygino kai kurioms ištekėjusioms moterims, nes heteros bučiuodavosi ne sučiauptomis, o praviromis lūpomis.

Tuo metu heteros buvo filosofės arba diplomatės. Tikslo niekas net nebandė slėpti: heteros buvo skatinamos verstis savo amatu, siekiant nuslopinti homoseksualią meilę. Protingos moterys neparsidavinėdavo vien už pinigus. Labiausiai jos troško susirasti menininką ar mokslininką, kuris padėtų joms tobulėti. Malonios ir žavios, bet ne tokios išsilavinusios heteros pirmenybę teikė turtui. Nepriklausomos kurtizanės turėjo gražius, skoningai išpuoštus namus, kur mielai lankydavosi garsūs vyrai, jauni aristokratai ar turtingi svetimšaliai. Korinto heteros stebino savo išsilavinimu.

Savo pėdsaką istorijoje paliko tokios heteros kaip Korina, mokiusi poezijos Pindarą ir laimėjusi vainiką Olimpinėse žaidynėse, ar Teodotėja, Sokrato ir Aristofano mylimoji, kuri, keršydama poetui, irgi parašė *Debesimis* pavadintą kūrinį. Buvo kurtizanių, valdžiusių kartu su karaliais. Buvo ir tokių, kurioms turtai visiškai nerūpėjo. Pavyzdžiui, Bakchidė mirė turėdama tik savo meilužio Hipereido apsiaustą, nors, kaip matėme, Hipereidas ją apgaudinėjo su Frine.

Tik heteros galėjo namuose priiminėti politikus ir poetus, finansininkus ir bankininkus, oratorius ir advokatus, filosofus ir dailininkus. Jos darė įtaką politikai. Kadangi pas jas lankydavosi visi valdžios vyrai, kartais jos diktuodavo savo valią, priimdavo įstatymus, padėdavo išgarsėti vienam ar kitam veikėjui. Jaunuoliai ten įgydavo išsilavinimą, išmokdavo gero tono, žarstyti sąmojus. Kurtizanės reputaciją galėjo ir sugadinti. Todėl visi vengdavo jų kritikos ir stengdavosi pelnyti komplimentų.

Kone visos heteros gyvenimą baigė skurde. Pavyzdžiui, dieviškoji Laidė, jaunystėje buvusi tokia populiari, Epikrato žodžiais tariant, tapo tikra plėšrūnė, už tris obolus ar vieną drachmą atsiduodanti ir jauniems, ir seniems.

Jeigu graikų turtuoliai taip lengvai nusigręždavo nuo kadaise nepaprastai populiarių moterų, tai ko gi galėjo tikėtis Taidė? Kai nebelydės įžymiųjų meilužių, kai nebebus kviečiama į pokylius, kam ji bus reikalinga? Nebent satyrikams, kuriantiems pašaipias eiles. Susenusi, raukšlėta, visų atstumta, ji turės kęsti buvusių meilužių patyčias ir slėptis nuo įžeidinėtojų.

Taidė galėjo tik pavydėti Charito, kuri net sulaukusi šešiasdešimties metų buvo tokia graži, kad lengvai susirasdavo meilužių. Juodais plaukais, lygia oda, aukšta krūtine, baltutėlėmis it marmuras krūtimis, atrodanti jauna lyg būtų dvidešimties, odą išsitrynusi ambrozija, kerinti, žavi, gracinga ir temperamentinga, – meilužius ši moteris viliojo kur kas labiau nei geibios merginos.

Tačiau Taidė gerai žinojo, ką buvę meilužiai rašydavo arba kalbėdavo apie raukšlėtas ir susenusias meilužes, kurių bedantė burna ar žili plaukai atrodė apgailėtinai. Ji žinojo, kad, jeigu neteks turtų, vieną dieną turės grįžti į viešnamį. Ji neturėjo vilties ištekėti. Net jeigu jos globėjas būtų siūlęs tuoktis, ji greičiausiai nebūtų sutikusi, bijodama užsitraukti graikų rūstybę. Ar ji vylėsi susilaukti tokio pat likimo kaip Herpilidė, Aristotelio sugyventinė, po meilužio mirties paveldėjusi namą, pinigų ir vergų? Ko daugiau galėjo trokšti heteros širdis?

Taidė buvo labai apdairi ir elgėsi protingai. Ji žinojo, koks likimas ištiko Demėjo sugyventinę: ši buvo išvaryta už tai, kad nepakluso šeimininko valiai ir susitikinėjo su jo sūnumi. Šią istoriją pasakoja Menandras *Samietėje*. Nors graikų visuomenė heteras toleravo, Taidė nepatikliai žiūrėjo į teisėtas žmonas. Laidės likimas, – pasak kai kurių šaltinių, ji buvo mirtinai sumušta, – privertė susimąstyti ne vieną kurtizanę.

Atsargumas, kuklumas, diplomatija greičiausiai buvo pagrindinės taisyklės, kurių laikėsi ši be galo išdidi moteris, ilgainiui pradėjusi patarinėti pačiam karaliui.

DIETOS IR POKYLIAI

Nelegalūs būdai

Kol neturėjo globėjo, Taidė įvairiai gudraudavo, siekdama užsidirbti kuo daugiau pinigų. Kaip ir kitos kurtizanės, kartais ji apsimesdavo ištekėjusi. Galbūt ji net griebdavosi gerai žinomo triuko – pagrasinti klientui teismu dėl svetimoteriavimo. Tokiu atveju meilužiui grėsė mirties bausmė. Todėl kai kurios kurtizanės susitardavo su bendrininku ir šantažuodavo atsitiktinį meilužį, reikalaudamos visų jo pinigų. Graikų įstatymuose už tokias apgaules, kurios nieko nebestebino, buvo numatytos nepaprastai griežtos bausmės. Tokio pelningo šantažo aukomis dažniausiai tapdavo menkai graikų teisę išmanantys užsieniečiai. Mirties bausmė grėsė vyrui, kartu su žmona sumaniusiam iš kliento išvilioti pinigus, teisėta žmona apsimetusiai kurtizanei, suteneriui, kuriam savanoriškai dirbdavo laisvosios merginos. Norėdami jos išvengti, jie turėdavo sumokėti sumą, kur kas didesnę už numatytą pelną. Neretai patys tėvai priversdavo vaikus verstis prostitucija. Tokiu atveju nuosprendis irgi būdavo griežtas, nes vaikai buvo gimę laisvaisiais piliečiais. Tačiau šie dažniausiai neapgailestaudavo dėl tokio tėvų sprendimo, nes jiems buvo užtikrinta šviesi ateitis.

Taidė gerai išmanė graikų įstatymus ir mokėjo jais naudotis bei juos apeiti. Tas, kuris jų nežinojo, kaipmat galėjo būti apmulkintas. Pasipelnyti siekiančiai kurtizanei, apsimesdavusiai ištekėjusia moterimi, grėsė didžiulė bauda. Ją taip pat galėjo parduoti vergų turguje. Į santuoką su kurtizane buvo žiūrima kreivai; maža to, teisėjai labai pasipiktindavo, jei kurtizanė apsimesdavo ištekėjusi, nes ji negalėjo gimdyti santuokinių vaikų, neturėjo teisės dalyvauti tam tikrose šventose apeigose, nebuvo gerbiama kaip teisėtos sutuoktinės. Už tai, kad kurtizanė, keletą kartų per dieną atsiduodanti pasitenkinimo trokštantiems vyrams, drįso lygintis su kukliai ir dorovingai išauklėtomis žmonomis, dukromis ar motinomis, laukė griežta bausmė. Visi, padėjusieji apgavikei, turėdavo sumokėti daugiau nei tūkstančio drachmų baudą ir galėjo netekti piliečio teisių.

Mūza

Taigi Taidė suvokė, kad nei jos pasitikėjimas savimi, nei grožis neprivers žmonių pamiršti jos padėties. Ji troško didžiausios garbės, norėjo tapti dailininko ar skulptoriaus modeliu. Laidė įkvėpė Apelį, skulptoriui Praksiteliui pozavo Frinė, tapusi jo mėgstamiausiu modeliu. Taidė irgi troško paminklo, ją šlovinančių įrašų, statulų. Juk argi Frinė nepastatė bronzinės statulos Delfuose? Argi nepaprašė Praksitelio aplieti ją auksu? Argi neužkėlė ant marmurinės kolonos, kad visi iš tolo ją matytų ir galvotų apie heterą? Argi neliepė pastatyti ją priešais Apolono šventyklą šalia Lakedaimono karalių statulų? Vis dėlto buvo žmonių, nepritarusių tos statulos pastatymui, pavyzdžiui, Plutarchas ją laikė geidulingumo triumfo simboliu.

Taidė troško išsiskirti iš kitų kurtizanių, įgyti tiek pat garbės kaip Frinė. Pastaroji netgi išdrįso pasisiūlyti atstatyti Aleksandro Didžiojo sugriautą Tėbų gynybinę sieną! 335 metais pr. Kr. ji pažadėjo padengti atstatymo darbus, jeigu sienoje bus įrašyta: „Aleksandras šias sienas sugriovė. Frinė jas atstatė!" Nors Frinės pasiūlymas buvo atmestas, akivaizdu, kad ji išgalėjo įgyvendinti neįtikėtiną milžiniškus pinigus kainuojantį sumanymą.

Argi Kotina nepastatė savo statulos Atėnės šventykloje ir nepadovanojo deivei bronzinės karvės? Ambicingoji Taidė nenorėjo atsilikti. Ji žinojo, kad graikų moralė nepalenkiama, bet keičiasi, kai koks nors įvykis sukrečia piliečių gyvenimą. 430 metų pr. Kr. maras Atėnuose pakeitė požiūrį į gyvenimą. Graikai puolė džiaugtis šia diena, nesijaudindami dėl rytojaus. Be teisėtos žmonos, daugelis graikų įsitaisė ir sugyventinę, dažniausiai heterą. Argi Sokratas negyveno su Myrto, nors buvo vedęs Ksantipę? Kadangi po Peloponeso karo Graikijoje trūko vaikų – būsimų karių, po kurio laiko graikai įteisino ir su žmona, ir su sugyventine gimusius vaikus.

Kurtizanės, kurių vis daugėjo, ėmė reikalauti daugiau pagarbos. *Kurtizanių pašnekesiuose* Ampelidė reikalauja, kad meilužis ją mylėtų, dūsautų prie jos durų, vykdytų visas jos užgaidas. Kadaise Solonas graikams patarinėjo saugoti savo tautos grynumą, o Aristipas prostitutes laikė daiktais. Dabar heteros troško revanšo. Taidė sugebėjo pasinaudoti pakitusiu požiūriu: dramaturgų kūriniuose kurtizanės buvo patrauklios, dosnios, faraonų numylėtinės. Poetas Menandras teigė, kad Glikerą mylėjo vienas iš Ptolemajų.

Pokylis pas Glikerą

Pas Glikerą dažnai rinkdavosi kitos heteros: Tesalija, Taidė, Petala, Euksipė, Mirina, Trialidė, Filomena. Tuo metu pokyliai buvo prašmatnūs. Dainas keisdavo pokštai ir sąmojai. Linksmybės tęsdavosi iki pat aušros. Gausiai liedavosi vynas. Galva svaigdavo nuo kvepalų ir gėlių skleidžiamo aromato. Išbarstytos ant žemės, įpintos į plaukus, iš palubės krintančios gėlės svaigindavo žmones. Jau ir taip sotūs svečiai persisotindavo pyragaičiais. Nuo medaus saldavo širdis. Paunksmėje stovintys stalai būdavo gražiai papuošti. Valgiai ir gėrimai keisdavo vienas kitą, – Glikera mokėjo priiminėti svečius. Nors daugumai susirinkusių vyrų orgijos bei ilgi pokyliai buvo įprastas dalykas, ir daugelis jų garsėjo paleistuvyste, nė vienas neatsisakydavo priimti Glikeros kvietimo, nes linksmybėms jos namuose niekas neprilygo.

Svečiai žaisdavo vulgarius, bet labai populiarius žaidimus. Jie šokdavo nuogi ir lygindavo, kieno kūnas gražesnis. Buvo rengiami bučinių konkursai. Kartais tarp dviejų heterų kildavo ginčas, pralinksmindavęs vyrus. Besivaržydamos dėl grožio, konkuruojančios heteros buvo pasirengusios rodyti intymiausias kūno vietas, kad tik laimėtų grožio konkursą. Buvo vertinamas ir moterų striptizas. Niekas nemokėjo taip viliojamai nusirišti diržo kaip Mirina, išryškinanti savo kūno grožį pro šilko skraistę. Iš jos geidulingų judesių galėjai nuspėti, kokios gundančios jos kūno formos.

Kai kurios moterys vaidindavo meilės scenas ir švelniais atodūsiais sukeldavo žiūrovų susižavėjimą. Norėdamos išsiskirti ir laimėti varžybas, heteros turėjo pasitelkti vaizduotę. Siekdama įveikti geidulingąją gudruolę Miriną, Trialidė pademonstruodavo kur kas daugiau. Kadangi Mirinos kūno formas ir apvalumus galėjai įžvelgti tik per skraistę, Trialidė pasirodydavo nuoga kaip gimnasijuje. Ji nusimesdavo rūbus ir išsilenkdavo, kad susirinkusieji geriau įvertintų jos kūno privalumus. Paskui ji pasiūlydavo vyrams ir moterims palyginti užpakaliuko standumą ir odos baltumą. Pažvelkite į apvalumus iš arčiau, paglostykite jų lygią ir švelnią odą, pasigrožėkite jų aptakiomis linijomis! Trialidė turėjo tvirtus sėdmenis, o jų kontūrai panėšėjo į šypseną. Nėra net ko lyginti su Mirinos, kurios sėdmenys buvo negražūs, nukarę, susiraukšlėję ir suglebę!

Kupina pasitikėjimo savimi, Trialidė maivydavosi ir kraipydavosi. Ji sustingdavo kokia nors poza, paskui greitai atsisukdavo į žiūrovus, kviesdama vyrus būti jos grožio liudytojais. Sužavėti svečiai plodavo ir skirdavo jai pergalę.

Puotautojai prisigalvodavo ir kitų pramogų. Jie lygindavo heterų krūtis, paskui pilvus. Čia niekas negalėjo varžytis su dar negimdžiusia Filomena.

Per tokius ištisą naktį trunkančius pokylius, kur visi nusigerdavo, heteros dažnai keisdavosi meilužiais. Tada būdavo pats laikas prisiminti gautus ir viena kitai perduotus patarimus. Kurstydamos meilužių geismą, jos netenkindavo visų jo troškimų iš karto. Tačiau vyrai neturėjo laukti pernelyg ilgai, nes greitai susierzindavo. Šis žaidimas jiems galėjo atsibosti, ir jie tada jau geis kitos heteros. Kurtizanės griebdavosi pačių įvairiausių išmonių, siekdamos pratęsti malonumą ir ne iškart numaldyti jaunųjų svečių nekantravimą.

Geros visos priemonės

Kaip ir Kserksą ar Darėją, graikų karvedžius visur lydėjo heteros, su kuriomis buvo elgiamasi kaip su karalienėmis. Nors puikiai žinojo, kad tėra paprasta hetera, Taidė naudojosi visomis Aleksandro teikiamomis gėrybėmis. Prabangus gyvenimas, garbė, patogumai, dovanos, – jai nieko netrūko. Taidei pasisekė, nes jos laikais į kurtizanes buvo žiūrima kur kas palankiau nei ankstesniais amžiais. Galbūt ji netgi didžiavosi, kad yra ne kokia nors kvaila kaimiečio žmona. Likimas jai lėmė sekti paskui Filipo Makedoniečio sūnų iki pasaulio pakraščio, nepaisant pavojaus būti sučiuptai ir parduotai vergų turguje. Tokia buvo ir daugelio kitų kurtizanių lemtis: jos gyveno šia diena, nežinodamos, kas laukia rytoj.

Vis dėlto Taidė turėjo būti nepaprastai budri. Graikės labai rūpinosi savo figūra. Heteros sekdavo visas naujienas ir pirmosios sužinodavo apie naują grožio priemonę. Nuo V amžiaus pr. Kr. moterys laikėsi dietos, labiau siekdamos išsaugoti sveikatą, nei išlaikyti gražų kūną. Saikingas valgymas ir mankšta padėdavo išlikti sveikam. Graikai stengdavosi nepersivalgyti. Filosofas Platonas netgi pateikė idealaus valgio receptą: alyvuogės, duona, sūris ir vaisiai.

IV amžiuje pr. Kr. filosofai rekomendavo vengti padažų, prieskonių, pyragaičių ir skatino tėvynainius sekti dietos besilaikančių atletų pavyzdžiu. Mėsą patiekdavo tik išskirtiniais atvejais. Ji labiau buvo skirta aukoti dievams. Tuo tarpu Ksenofontas gerai atsiliepia apie pokylius, kuriuos taip mėgo Atėnų ir Spartos gyventojai. Iš tiesų žmonės valgydavo ilgai, o paskui eidavo pasivaikščioti, – dėl šių išganingų pasivaikščiojimų jie nepriaugdavo svorio.

Taidės laikais dieta tapo tikra manija. Graikai buvo įsitikinę, kad ji padeda išlaikyti dvasios pusiausvyrą. Vis dėlto tokie gimnastikos mokytojai kaip Herodikas susilaukdavo kritikos. Herodikas sukūrė specialų režimą, kurį sudarė bėgimas, mankšta, garų vonia ir lengvas maistas. Iš pradžių domėjęsis atletais, vėliau jis sukūrė dietą pagyvenusioms moterims, žadėdamas pailginti jų gyvenimą. O heteros galėjo būti tikros, kad išsaugos jaunystę! Iš tiesų Herodikui buvo priekaištaujama, kad nuvargina ligonius ir paspartina senolių mirtį.

Sekdamos filosofų pavyzdžiu, daugelis heterų laikydavosi griežtų dietų. Kai kurie, pavyzdžiui, Pitagoras, laikydavosi režimo, kurį sudarė muzika, gimnastika ir vegetariška dieta. Tokios dietos buvo panašios į tas, kurių laikydavosi Egipto žyniai: gėlės, šaknys, lapai, vaisiai, pienas, medus, vištiena, stirniena, vynas ir žuvis, – kiekvieną dieną vis tas pats. Kai nedalyvaudavo pokyliuose, heteros stengdavosi numesti priaugtą svorį ir nesirinkdavo sočių ir maistingų patiekalų.

Norinčios apvalesnių formų, kad įtiktų meilužiui, rinkdavosi to paties Pitagoro dietą, sukurtą kovotojams: bulių, antilopių, jaučių mėsa, figos, sūris ir daržovės. Kartais kurtizanės prisivalgydavo tiek, kad kildavo pavojus jų gyvybei. Vis dėlto romėnės perims šią mėsos dietą.

Kaip ir jos kolegės, Taidė buvo skaičiusi daugybę medicinos traktatų, kurių autoriai rekomendavo lengvą maistą. Vienos laikėsi Diogeno iš Sinopės patarimų: valgyti vaisius, šaknis ir keptą maistą. Kitos sekė Hipokratu, kuris stengėsi išsaugoti ketverių žmogaus kūno syvų pusiausvyrą. Heteros pasirinkdavo dietą pagal savo amžių ir klimatą. Žiemą jos valgydavo daugiau duonos ir mėsos, o dietos puldavo laikytis atšilus orams. Visai kaip egiptietės, kurios, norėdamos išvalyti vidurius, valgydavo su vynu ir medumi sumaišytus pertrintus agurkus, graikės irgi gerdavo svorį mažinančias mikstūras.

Kai kurios keldavosi dar saulei netekėjus, nors daugelis tuo metu tik eidavo miegoti. Jos trindavo kaklą, ištepdavo kūną aliejumi, vaikščiodavo, valgydavo, eidavo į gimnasiją ir maudydavosi šaltame vandenyje. Bijodamos sustorėti, per pusryčius moterys valgydavo tik košę, o per vakarienę – žalumynų, žuvies ir vištienos.

Taidė žinojo, kad buvo rekomenduojama gerai išprakaituoti ir kad ryžiai, avižos ar aguonų nuovirai padėdavo išlikti žvaliam. Tačiau ji atsargiai žiūrėjo į moterų gydytojo Sorano, siūlančio valgius iš medaus, patarimus. Norėdama atgauti jėgas, Taidė valgydavo kiaušinius, paukštieną ir žuvį. Ji nuolatos drėkino ir šildė kūną. Vis dėlto Atėnajas įspėjo moteris nepersistengti. Jos tokios liesos, sakė jis, jog joms prie kojų reikia pririšti rutulius, kad nepakiltų nuo žemės. Populiarios heteros, turėjusios kiekvieną vakarą su vyrais dalyvauti pokyliuose bei orgijose, ne taip smarkiai rizikavo sveikata.

VI

KARALIŠKOJI DINASTIJA

Naujas meilužis

Aleksandras išvijo iš Egipto persus ir pasiskelbė faraonu. Egipte jis paliko architektą Dinokratą, kuriam įsakė pastatyti Aleksandrijos miestą, valdininkų, karių, paskyrė valdytoją, o pats išvyko užkariauti pasaulio. Sūzuose jis buvo Barsinos, Artabazo dukters, meilužis. Elegantiškoji gražuolė Barsina pagimdė jam sūnų. Vėliau Aleksandras vedė Roksaną, kurią pamilo, išvydęs šokančią po vienos puotos. Tačiau ši aistra nesukliudė jam vesti ir Stateirą, Darėjo dukterį. Triukšmingomis šventėmis buvo paminėtos ir daugelio makedonų vestuvės su persėmis. Kurį laiką užtrukęs pas naująją žmoną, Aleksandras nuvyko į Babiloną, kur susirgo karštlige. Jis mirė 323 metais pr. Kr.

Taidė, be abejo, labai liūdėjo dėl tokios netekties ir jaudinosi dėl savo likimo. Kas pakeis Aleksandrą? Perdikas, jo karvedys? Jo ir Barsinos sūnus? Kai ką Aleksandro mirtis turbūt nudžiugino. Juk sulig kiekviena pergale jis darėsi vis ambicingesnis, kone despotiškas ir kupinas puikybės!

Roksana stojo į Perdiko pusę ir įviliojo Stateirą į pinkles. Buvo visai neaišku, kas po Aleksandro valdys jo milžinišką imperiją. Niekas nenorėjo praleisti progos tapti tokios teritorijos valdovu. Todėl Taidė, kaip ir kitos heteros, su nerimu stebėjo žmogžudystes, sąmokslus ir bandymus užkariauti sostą. Filipas Aridėjas, netikras Aleksandro brolis, galėjo tapti karaliumi, tačiau berods buvo silpnos sveikatos. Trokštantieji Makedonijos soste matyti netikrą Aleksandro brolį pakeitė planus, išgirdę, jog Roksana laukiasi. Perdikas pasiūlė palaukti ir pažiūrėti, kas gims, – berniukas ar mergaitė, o jis pats tapsiąs regentu. Jis netgi planavo vesti Aleksandro seserį Kleopatrą. Bet kiti Aleksandro karvedžiai manė, jog bus teisinga, jeigu jie valdys šalį, kurią patys su savo vadu užkariavo. Todėl jie atmetė daugelį Perdiko pasiūlymų. Ptolemajas pasiūlė karvedžiams nekreipti dėmesio į būsimąjį karalių ir pasidalyti imperiją. Jis pats reikalavo tik Egipto, kuris nieko kito nedomino. Pasipriešinti egiptiečiams, nepatenkintiems Aleksandro žmonių valdymu, būtų ne taip lengva. Egipto galia vis silpnėjo.

Nė vienas karvedys neprieštaravo Ptolemajo prašymui, nes visi troško žemių arčiau Makedonijos ar lengviau valdomos tautos. Ptolemajas primygtinai prašė leisti pasirūpinti Aleksandro laidotuvėmis. Valdovas turėjo būti palaidotas Egipte, Sivos oazėje. Ten stūksojo dievo Amono, kurį Aleksandras laikė savo dangiškuoju tėvu, šventykla.

Taigi vos tik Roksana pagimdė sūnų, Ptolemajas iškeliavo į Egiptą. Būsimasis Egipto karalius buvo patyręs, išmintingas, šaunus karys. Jis turėjo apie keturiasdešimt metų ir buvo geraširdis, kilnus, bet reiklus. Visi, dirbę kartu su juo ar greta šuoliavę mūšyje, pasitikėjo šiuo nepalenkiamu žmogumi, vertinamu už teisingumą ir griežtumą.

Ptolemajas buvo griežtų bruožų. Jis nelengvai leisdavosi į kalbas. Bet jo valingą smakrą ir išsišovusius skruostikaulius švelnino taisyklingi veido bruožai, putlios lūpos ir kerinti šypsena. Ptolemajas buvo Arsinojos, karališkosios šeimos narės, ir valstiečio Lago sūnus. Kai kurių teigimu, tikrasis Ptolemajo tėvas buvo Filipas Makedonietis, Aleksandro tėvas, o Lagas tik pripažinęs jį savo sūnumi. Iš tiesų Ptolemajas kartu su jaunuoju Aleksandru gavo patį geriausią išsilavinimą. Filipas rūpinosi, kad jį mokytų geriausi mokytojai. Ptolemają su Aleksandru siejo tokia glaudi draugystė, jis taip tvirtai palaikydavo valdovą pačiomis sunkiausiomis akimirkomis, kad net sklido kalbos, jog jiedu su Aleksandru – netikri broliai. Galbūt Taidė žinojo tiesą?

Puikusis Ptolemajas

Taidė ne kartą galėjo gėrėtis Ptolemaju mūšyje ir girti jį už drąsą. Jis kartu su visais sugriovė Tėbus, vadovavo kavalerijai mūšyje prie Graniko upės, gavo du labai aukštus titulus – karališkąjį ir vyriausiojo arklininko. Visi kariai žinojo, kad pats Aleksandras jį labai vertino už garbingumą ir atvirumą. Ptolemajas valdovui galėjo sakyti viską. Iš tiesų Aleksandrą supo pavydūs ir ambicingi kurtizanai, todėl jis mėgo draugiją žmonių, kuriais galėjo pasitikėti.

Norėdamas įsiteikti egiptiečiams, vos atvykęs Ptolemajas nusprendė restauruoti ir išpuošti šventyklas, padovanoti žyniams sidabrinių talentų ir iš Babilono atveštų statulų. Memfio gyventojai taip apsidžiaugė jiems parodyta garbe, kad įkalbinėjo Ptolemają pasilikti jų mieste, bet Aleksandro karvedys skubėjo kuo greičiau nusigauti į Aleksandriją. Jis negalėjo atsigrožėti Aleksandrijos miestu, kurį Dinokratas buvo išpuošęs daugybe paminklų, ir stebėjosi, kaip architektui pavyko per tokį trumpą laikotarpį surinkti tiek pinigų. Ptolemajas sužinojo, kad bankininkas Kleomenas nesilaikė Aleksandro Didžiojo įsakymo nedidinti mokesčių ir tuo sukėlė didžiulį aukštų pareigūnų bei valdininkų nepasitenkinimą.

Suprasdamas, jog pasitaikė puiki proga tapti populiariu valdovu, Ptolemajas nusprendė pamaloninti Aleksandrijos gyventojus ir išvystyti mainus su kitais miestais bei šalimis. Jis taip pat norėjo išplėsti savo teritoriją, ketino prisijungti Kiprą ir suteikti egiptiečiams tai, ko jiems trūko.

Taidė greičiausiai sekė paskui Ptolemają, kai šis išvyko iš Babilono, nebent būtų į Egiptą lydėjusi Aleksandro kūną. Ji tikrai turėjo vertinti Ptolemają už gerumą ir išmintį. Kažin ar jiedu buvo artimi dar Aleksandrui esant gyvam? Ar matė, kokia tvirta vyrų draugystė? Be abejo, Ptolemajas turėjo daugybę progų įvertinti Taidę. Jis tikrai jai priekaištavo už blogus patarimus, tačiau Taidė sugebėjo jį suvilioti. Galbūt jis netgi tapo jos meilužiu, kai Aleksandras dar buvo gyvas.

Perdikui nepavyko vesti Kleopatros, ir Taidė gerai suvokė, koks galingas Ptolemajas. Jis buvo pasiryžęs visais įmanomais būdais ginti Nilo pirmąjį slenkstį siekiančią šalį. Jis taip pat troško užkariauti Kirenaiką ir šiaurinę Siriją. Atrodė, kad Kirenaiką užvaldyti nebus sunku. Todėl jis pasamdė karių, valstiečių ir graikų prekybininkų, pasiryžusių pakeisti profesiją, kad tik gautų kuo daugiau pinigų. Ptolemajas nusprendė dosniai atsilyginti samdiniams, kad turėtų stiprią ir atsidavusią kariuomenę, kuria visada galėtų pasikliauti.

Savanorių susirinko tiek daug, kad netrukus Ptolemajas galėjo imtis žygių Kirėnei užkariauti. Iš Kirenaikos atvyko ambasadoriai ir prašė padėti valdžioje esantiems oligarchams, kuriuos liaudis grasino nuversti. Ptolemajas nusprendė pasinaudoti proga ir nedelsdamas išvyko į Kirėnę. Jis sutramdė maištininkus ir paskyrė miesto valdytoją. Ptolemajas patikino gyventojus, kad jie visiškai saugūs, ir iškeliavo atgal į Egiptą, palikęs dalį kareivių galimam maištui nuslopinti.

Ši greita ir neginčytina pergalė, be abejo, nenustebino kitų Aleksandro karvedžių, nuolatos sekusių vienas kito veiksmus. Įspūdinga ir nepaprastai greita Ptolemajo pergalė nenustebino ir Taidės, žinojusios, kokiais užkariautojo sugebėjimais pasižymi buvęs Aleksandro bendražygis.

Kadangi diadochai* nebegalėjo pakęsti nuolatos jiems įsakinėjančio Perdiko, Ptolemajas nusprendė prie jų prisidėti ir Perdiką pašalinti. Tuo tarpu Perdikas laidotuvių kortežo prižiūrėtojui įsakė parvežti į Egiptą gabenamą Aleksandro kūną. Jis nusprendė, kad Aleksandras bus palaidotas Makedonijoje. Priblokštas procesijos prižiūrėtojas prieš vykdydamas įsakymą nusprendė pranešti Ptolemajui. Įpykęs Ptolemajas nuvyko į Damaską, ten pasivijo procesiją ir įsakė pasukti į Egiptą. Kadangi Perdikas irgi keliavo į Egiptą, Ptolemajas surinko kariuomenę ir išvyko į Pelūzą, tikėdamasis jį ten užklupti. Tačiau šis nesidavė sugaunamas. Įsitikinęs, jog buvę Aleksandro karvedžiai privalo jam paklusti, Perdikas supyko ir įsakė Ptolemajui sudėti ginklus. Ptolemajas atsakymo nedavė. Supratęs, kad naujasis Egipto valdovas nežada jam nusileisti, Perdikas pabėgo į Memfį. Jis ketino miestą užpulti netikėtai. Tačiau Ptolemajas perprato Perdiko kėslus. Jis irgi pasuko į Memfį, aplenkė bėglį ir jį sučiupo. Du Ptolemajo karininkai šaltakraujiškai nužudė Perdiką jo paties palapinėje.

Ptolemają nugalėtoju pripažino ne tik jo paties kariuomenė, bet ir visi Perdiko kariai, pažadėję jam paklusti. Jie netgi pasiūlė jam tapti dviejų Aleksandro sūnų globėju vietoj Perdiko. Bet Ptolemajas atsisakė. Jį domino tik viena – valdyti Egiptą.

---

* Diadochai – Aleksandro Didžiojo įpėdiniai.

Aleksandras Egipte

Aleksandro kūną atgabenus į Memfį, Taidė labai susigraudino. Visi egiptiečiai susirinko į jį pasižiūrėti. Auksinis raudonu audeklu dengtas karstas gulėjo vežime šalia auksinio Aleksandro sosto. Vežimą traukė vėriniais bei pusbrangakmeniais nusagstytomis gūniomis papuošti mulai. Prie vežimo buvo pritvirtintas baldakimas. Ant karsto gulėjo Aleksandro kardas bei ietis. Paveiksluose, kurie kabėjo vežimo šonuose, buvo vaizduojamos mūšių scenos.

Nors daugelis egiptiečių sutiko, kad Aleksandras būtų palaidotas Egipte, buvo ir teigiančiųjų, jog jo kapas taps užkariautojų graikų, pavergusių jų šalį, simboliu. Kiti neprieštaravo jo laidotuvėms Egipte su sąlyga, kad jis būtų palaidotas savo mieste, Aleksandrijoje, kurio įkūrimą graikai švęsdavo kiekvienais metais. O Ptolemajas troško, kad Aleksandro kapas būtų Sivos oazėje. Vis dėlto jis atidžiai išklausė Ptaho žynį, įspėjusį jį nepasitikėti Memfio gyventojais, dažnai keliančiais maištus. Geriau jau Aleksandro kūną išgabenti kuo toliau nuo šio miesto. Ilgai svarstęs Ptolemajas nusprendė palaidoti Aleksandrą Aleksandrijoje ir pastatydinti jam antkapį.

Euridikė

Antipatras, po Perdiko mirties tapęs regentu, su Ptolemaju stengėsi palaikyti draugiškus santykius. Jis nesibaimino Ptolemajo, nes šis nesiekė tapti visos Aleksandro imperijos valdovu. Tačiau Antipatras žinojo, koks sumanus karys yra Ptolemajas. Jeigu jam pavyktų užkariauti trokštamas žemes, jis taptų toks pat galingas kaip ir pats Antipatras. Todėl regentas pasiūlė vesti jo dukterį Euridikę. Ptolemajo šis pasiūlymas visai nesudomino. Laikui bėgant jis labai prisirišo prie Taidės, tapusios jo meiluže. Hetera, rodos, irgi buvo labai artima naujajam Egipto valdovui. Taidė, kurios grožiu visi žavėjosi, kurią garbino už rafinuotumą, kurios geidė didžiausi valdovai, įgijo tokią valdžią, tarsi būtų tikra žmona. Visi jau seniai užmiršo, kad ši moteris tėra hetera. Kadangi Ptolemajas ją mylėjo, jai nesunku buvo elgtis kaip rūpestingai sutuoktinei. Ptolemajo žmona jai būtų pavojinga, todėl Taidė norėjo, kad jis liktų nevedęs.

Laikai, kai jaunoji korintietė Taidė turėjo parsidavinėti, sulaukusi vos dešimties metų, buvo praeitis. Ji buvo daugelio menininkų ir politikų meilužė. Jai padedant buvo sudarytos svarbios sutartys. Vyrai didžiavosi, galėdami pramogauti ar vaikštinėti kartu su ja.

Ar Taidė, kuri, kaip manoma, buvo kilusi iš Korinto, vertėsi šventąja prostitucija kaip Laidė? Ar atsiduodavo vyrams Afroditės garbei ir už tai gaudavo nemažus pinigus? Ar dovanodavo deivei visą savo uždarbį, kaip Babilono hierodulės, garbinančios meilės ir karo deivę Ištarę? Ar pakluso ritualui, reikalaujančiam santykiauti su svetimšaliais? Ar sėdėdavo virve apjuosta galva Afroditės šventykloje, kur į ją visi žiūrėdavo? Ar leisdavo šventykloje užsieniečiams ją apžiūrinėti ir išsirinkti it kokį daiktą? Taidė nebūtų atsisakiusi monetų, kurias šie vyrai jai būtų numetę. Gražuolei Taidei, priešingai nei grožiu nepasižyminčioms moterims, tikrai nereikėjo laukti trejus ar ketverius metus, kol ją pasirinks!

Jei Taidė ir buvo šventoji prostitutė, niekas dėl to negalėjo priekaištauti. Daugelis graikių troško tapti žynėmis, vergėmis ir prostitutėmis vienu metu. Meilės šventykloje lankydavosi jūreiviai, atplaukdavę į du Korinto uostus, taip pat politikai, melsdavę patarimo, kokius karo žygius pradėti ar kokį sprendimą priimti. Iš maždaug tūkstančio moterų, dirbusių Korinto Afroditės šventykloje, nemaža dalis nuspręsdavo likti joje visą gyvenimą. Šventosios prostitutės, turėjusios savo vietas teatre, šventusios Afrodisijas, gyveno pavydėtinai.

Tačiau Taidė sutiko Aleksandrą. Jinai mokėjo jį pagirti ir išblaškyti, nes sumanumo jai netrūko. Įdomu, kaip reagavo Ptolemajas, išgirdęs, kaip hetera sako jo kovų bendražygiui: „Pagaliau atvykome į Sūzus, po tiek išbandymų ir vargų išmušė mūsų atlygio valanda! Einu pailsėti Persijos karalių rūmuose! O paskui pasilinksminsiu – su tavo kariais sudeginsiu Kserkso rūmus. Juk Kserksas išdrįso padegti Atėnus! Norėčiau pati uždegti ugnį karaliaus akivaizdoje, kad visi žinotų, jog Aleksandrą lydinčios moterys atkeršijo už graikus žiauriau nei jo kariuomenė ir karvedžiai!"

Ptolemajas matė, kad Aleksandras išsyk pakluso ir, drąsinamas draugų plojimų, pats ėmėsi vadovauti savo vyrams. Karininkai griebė deglus ir padegė Sūzus. Nusiaubus miestą, prasidėjo didžiulė orgija. Tačiau Ptolemajas pamena, kad atsipeikėjęs Aleksandras gailėjosi dėl tokio poelgio ir įsakė užgesinti ugnį.

Kaip Aleksandro vietoj būtų pasielgęs Ptolemajas? Ar gražiajai Taidei būtų pavykę jį suvilioti ir įtikinti? Aleksandrą supo vis daugiau moterų, ir jos mokėjo įtikinėti. Be heterų, Aleksandrą lydėjo jo žmonos, karo belaisvės ir trys šimtai Persijos karaliaus haremo moterų. Todėl puotos ir orgijos buvo keliamos vis dažniau. Sklido kalbos, kad Aleksandro karininkai labai mėgo vyną bei moteris. Persepolyje, Ekbatanoje, Samarkande keliamuose triukšminguose pokyliuose netrūko seksualinės prievartos. Kvintas Kurcijus kalba apie prievartavimus. Nuogos moterys šokdavo su kareiviais, šie kartais mirdavo persigėrę ar persivalgę. Taip pat minimos žmogžudystės ar dingimai be žinios.

Taidė greičiausiai stebėjo 325 metais pr. Kr. Sūzuose Aleksandro surengtą vyno gėrimo konkursą. Siekdamas jį laimėti, vienas vyras mirė. Jis išgėrė trylika litrų vyno. Stebint nuobodžiaujančioms heteroms, gyvybės neteko ir keturiasdešimt vienas jo konkurentas.

Apgirtę kareiviai šlitiniuodavo miesto gatvėmis. Kai tik galėdavo, jie prisigerdavo ir puldavo prie moterų. Meno konkursas ar gimnastikos varžybos visada baigdavosi išgertuvėmis.

Įpratusi prie įvairiausių malonumų, galingųjų valiai paklūstanti Taidė gyvenime matė visko. Turbūt ir ji nemažai prisidėjo, kad Aleksandrija taptų pramogų ir malonumų miestu, kaip to pageidavo Ptolemajas. Naujojo Egipto valdovo meilužė taps šio menkos moralės miesto simboliu. Po kelerių metų romėnų poetas Propercijus vienoje iš savo *Elegijų* lygins savo meilužę Cintiją su gražiąja Taide. Ptolemajas mylėjo šią geidžiamą, kerinčią, malonumus mėgstančią moterį taip pat stipriai, kaip Propercijus – Cintiją.

Vis dėlto, kurį laiką mąstęs apie Antipatro pasiūlymą vesti jo dukterį, Ptolemajas prisirengė duoti atsakymą. Taidė galėjo jam pagimdyti vaikų. Ji bus ištikima meilužė iki pat gyvenimo pabaigos. Tai kam jam žmona? Bet Antipatro sąjunga su kitais diadochais, jo galybė ir atkaklumas privertė Ptolemają apsigalvoti.

Ar Taidė kaip nors prisidėjo prie šio sprendimo? Ar bandė jį atkalbėti nuo šios santuokos? Ar priminė jų jausmus ir žadėjo pagimdyti jam vaikų? Žinome tik, kad Ptolemajas pasirinko pareigą ir protą. Jis be jokio džiaugsmo susituokė su Euridike ir paprašė Taidės grįžti į Graikiją.

Taidė žinojo, kas dedasi Ptolemajo širdyje. Galbūt prieš pa-
mildamas ją jis mylėjo persę Artakamą, kurią vedė verčiamas
Aleksandro. Taidė nujautė, kad jo santuoka su Euridike ne-
bus laiminga. Su šia moterimi Ptolemajas susilaukė trijų vai-
kų. Tačiau paguodos ieškodavo žmonos tarnaitės, gražiosios
Berenikės, turėjusios plačią kaktą, tiesią nosį ir švelnias akis,
glėbyje. Poeto Teokrito teigimu, jie labai mylėjo vienas kitą ir
liko kartu iki gyvenimo pabaigos. Euridikė paliko vyrą ir išvy-
ko iš Egipto. Berenikė Ptolemajui pagimdė penkis vaikus. Ji
sugebėjo išlikti patraukli vyrui, kurį Taidei teko palikti, nors ji
buvo laikoma Egipto karaliene! Taidės šlovė buvo tiesiog ne-
įtikima. Jokia hetera negalėjo tikėtis dar aukščiau pakilti so-
cialiniais laipteliais. Tačiau ji turbūt apgailestavo palikusi Pto-
lemają, kuris galiausiai vedė tarnaitę. Taidė, kaip ir daugelis
kitų kurtizanių, tapo savo socialinės padėties auka: ji buvo mo-
teris, neturėjusi teisės mylėti.

ROMĖNĖ CINTIJA

I

ŽMONA IR MEILUŽĖ

Poeto mūza

Cintija buvo I amžiuje pr. Kr. gyvenusio poeto Propercijaus meilužė. Propercijus gimė pasiturinčioje šeimoje, tačiau vaikystėje neteko tėvo, o paauglystėje – motinos. Gali būti, kad mokslus ėjo Romoje. Eiles kurti pradėjo labai anksti, susižavėjęs Aleksandrijos poezija. Susitikinėdamas su jauna verge, vardu Likina, jis sutiko Cintiją. Tuo metu Propercijus buvo dar jaunas ir lengvai pasiduodantis kitų įtakai. Cintija patirties turėjo kur kas daugiau.

Kai kurių autorių teigimu, Cintijos tikrasis vardas buvo Hostija. Kiti ją vadina Roscija. Buvo vienas poetas, vardu Hostijus, o Roscijumi vadino vieną aktorių. Taigi atrodo, kad Cintija buvo kilusi iš garsios ir turtingos menininkų šeimos. Ji tikrai nebuvo kurtizanė. Tačiau, jeigu tikėsime Propercijumi, Cintijos elgesys buvo gana dviprasmiškas. Ji elgėsi kaip kurtizanė ir šaipėsi iš poeto.

Cintija dažnai lyginama su Delija, poeto Tibulo meiluže, kuri buvo ne tokia turtinga kaip Cintija. Tačiau ji daugiau panėšėjo į Katulo mylimąją Lesbiją, irgi mėgusią aukštuomenės gyvenimą. Propercijaus ir Cintijos santykiai buvo audringi. Po penkerių bendro gyvenimo metų pora išsiskyrė, ir poetas sukūrė *Elegijas*. Propercijus išgarsėjo padedamas savo draugo Mecenato. Jis taip pat bendravo su poetais Ovidijumi, Pontiku, Basu bei įtakingais politikais.

Kai įsimylėjėliai vėl ėmė gyventi kartu, Propercijus jau buvo parašęs daugumą savo meilės eilėraščių. Tuo metu Romoje vystėsi elegijos žanras. Nors buvo juntama Aleksandrijos poezijos įtaka, Katulo, Propercijaus ir Tibulo poezijai netrūko nuoširdumo. Jie apdainavo vienintelę ir dažnai nelaimingą meilę. Propercijus eilėse į savo jausmus žiūrėjo neįtikėtinai rimtai. Bet, savo nelaimei, jis sutiko moterį, kuri neturėjo jokio noro būti garbinga ir elgėsi kaip kurtizanė. Todėl poetas ją lygino su graikų heteromis.

Tuometinė Roma

Tuo metu dauguma romėnų laiką leisdavo Forumo aikštėje, visų įvykių centre. Ten sukinėjosi pirkliai, politikai, teisėjai, svetimšaliai, šokėjos iš Rytų ir prostitutės. Toskanų gatvėje parsidavinėjo ir vyrai. Velabro kvartale, gatvėse, esančiose netoli Forumo ir vedančiose į Suburos kvartalą, Turarijaus gatvelėje, kur buvo įsikūrę prekiautojai smilkalais, moterys parsiduodavo už keletą sestercijų. Padorios romėnės vengė lankytis Forume, o kurtizanės žinojo, kad tarp juvelyrų, pinigų keitėjų ar bankininkų ras gerų klientų.

Blogiausią reputaciją turėjo Suburos kvartalas. Patenkinti geismus romėnai galėjo ir prie Vestos šventyklos. Viešnamiuose jie užmiršdavo politiką ir puldavo prie vulgaresnių pramogų. Taigi Romos centre esančiuose prestižiniuose kvartaluose buvo prastai pagarsėjusių gatvių. Pasiturinčių miestiečių namai stovėjo ant kalvų, atokiau nuo pelkėtų vietų, kur jų nepasiekdavo potvyniai. Velabre knibždėte knibždėjo prostitučių. Klientų jos laukdavo ir prie Didžiojo cirko, kur galėjo mėgautis rodomais spektakliais. Turtingi ir įtakingi romėnai, vežimų lenktynių nugalėtojai ir treneriai buvo geidžiamiausi klientai. Gatvės anapus Tiberio naktį buvo tokios pat pavojingos kaip ir Suburoje. Romėnai bijodavo ten pasiklysti. Kartais jie ten vykdavo, lydimi daugybės vergų. Miesto sargybiniai sunkiai sutramdydavo žmones, keliančius riaušes ar bandančius iš klientų atimti pinigus. O norintieji išgerti vykdavo į Transtevero kvartalą.

Suburos ar Velabro kvartalų gatvės buvo tamsios, siauros ir pavojingos. Ten sukinėjosi būrėjai, aiškiaregiai ir valkatos. Prostitutės gyveno nuomojamuose daugiaaukščiuose namuose, *insulae*, kur nebuvo jokių patogumų. Dažniausiai jos gyvendavo po kelias viename kambaryje, kad turėtų kuo mažiau išlaidų. Buvo ir tokių, kurios nakvodavo po atviru dangumi, po portikais ar prie šventyklų.

Tuose judriuose kvartaluose buvo daug žmonių, ten sukiojosi nesąžiningi prekeiviai, vergai, svetimšaliai, nusikaltėliai ir jūreiviai. Rašytojai pasakoja, kad Suburos gyventojai neretai būdavo priversti tapti žmonų ir dukrų suteneriais, kad galėtų išgyventi.

Skirtingi kvartalai

Nors Cintija tokiai aplinkai nepriklausė, jinai puikiai ją pažinojo. Dauguma prostitučių neturėjo jokių galimybių kada nors tapti kurtizanėmis. Prabanga ir aukštuomenės pasilinksminimai joms buvo nepasiekiami. Didžiulė praraja skyrė kurtizanes nuo šių suvargusių, išblyškusių moterų, kurias realistiškai aprašė Plautas.

„Jos buvo tikros vargšės, – rašo jis, – kepėjų draugužės, nieko vertos, tinkamos tik pameistriams, liesos, gausiai išsikvėpinusios pigiais kvepalais, pasibjaurėtinos, vertos tik vergų. Nuo jų trenkė mėšlu, nes jos gyveno purvinose landynėse. Tos moterys lūkuriuodavo gatvėse. Joks vyras nepažvelgdavo į jas, ištisas valandas sėdinčias ant kėdutės. Joks tikras vyras nesivesdavo jų į namus. Dauguma jų buvo senos ir bjaurios. Net vergai joms mokėdavo vos du obolus."

Keliuose kūriniuose Plautas pabrėžia, kad prostitutės gyvena nešvariose landynėse ir yra negražios. Dar jis rašo, kad šios moterys išblyškusios, ligotos, liesos, apgailėtinos. Jo negailestinga plunksna nieko neslėpė. Jų pėdos, priduria Plautas, gumbuotos, o kojos visai plonytės. Jos tokios negražios, kad apie jų siūlomus santykius negali būti nė minties.

Kad ir kokie tuose Romos kvartaluose slypėjo pavojai, po juos pasivaikščioti mėgdavo paaugliai, kuriems patiko stebėti tą neįprastą pasaulį. Kai kurie garsūs vyrai prisipažino, kad neretai užsukdavę ten atsipalaiduoti; Persėjas irgi mielai ten svečiuodavosi. Ten lankydamasis jis jau dėvėjo vyrų togą, bet neišgalėjo puikuotis kurtizanių draugija.

Kurtizanės mieliau lankėsi Aventino kvartale, kur gyveno muzikantės. Kurtizanes samdydavo dienai, mėnesiui ar metams. Jas prižiūrėjo vyrai. Be abejo, šios moterys siekė atgauti laisvę. Dauguma jų, pasiekusios privilegijuotą padėtį, gyveno Aventine, vengdamos pakliūti į sutenerių rankas. Tai, apie ką Velabre negalėjai nė pasvajoti, prabangesniame Aventine buvo visai įmanoma.

Cintija neturėjo nieko bendra su moterimis, gyvenančiomis skurdžiuose Romos kvartaluose, kur grėsė gamtinės nelaimės,

badas bei epidemijos, neišmanančiomis, ko griebtis, ir vos su-
duriančiomis galą su galu. Roma garsėjo kaip miestas, kur pro-
stitučių buvo daugiau nei kur kitur. Jei šeimos nusigyvendavo,
jei vaikai netekdavo tėvo, jei moterys vienos turėdavo auginti
vaikus, dažniausiai likdavo vienintelė išeitis – prostitucija.

Rafinuotas pasaulis

Cintija nesusidurdavo su jaunomis išsekusiomis Suburos pro-
stitutėmis, kurios mirdavo per epidemijas. Ji galėjo nusipirkti
kviečių net tada, kai jų būdavo nedaug ir kai laivai į Ostijos
uostą neužsukdavo. Jos likimas nepriklausė nuo kokio nors pat-
rono valios. Ji negaudavo kasdienio maisto davinio, nesibaimi-
no, kad Romą užplūs užsieniečiai ar kad padidės būsto nuoma.
Priešingai, ji vertino Romoje įsikūrusius graikus, nes šie perda-
vė savo mokslą, filosofiją, žinias. Nors kai kuriems romėnams
nepatiko, kad šie svetimšaliai apsigyveno jau ir taip perpildyta-
me miestc, pokyliuose besilankantys žmonės, mėgstantys grožį
ir meną, neliko abejingi graikų rafinuotumui. Menininkai ir ra-
šytojai jautė Aleksandrijos įtaką ir vis labiau vertino išdaigas,
dykinėjimą, malonų ir ramų gyvenimą, romėnų vadinamą *otium*.
    Cintija irgi mėgo tą tingią ramybe pulsuojantį gyvenimą, dėl
kurio išaugo kurtizanių įtaka. Kaip ir Graikijos bei Egipto he-
teros Ptolemajų laikais, kurtizanės buvo kviečiamos į poky-
lius. Kuo dažniau buvo rengiamos puotos, tuo įvairesnių ma-
lonumų vaikėsi žmonės. Įsitraukę į pramogų sūkurį, romėnai
troško vis neįprastesnių ir išradingesnių linksmybių. Tai buvo
Cintijos pasaulis, egzistavęs ne tik Romoje, bet ir kurortuose,
kur susirinkdavo visa aukštuomenė. Vaikštinėti pajūriu, klau-
sytis eilių gurkšnojant vyną, žiūrėti spektaklius skanaujant įsta-

biausių patiekalų su prieskoniais, pirktais tolimiausiuose kraštuose, mėgautis nuogų moterų šokiu ir erotiniais rašytojų kūriniais, ilsėtis pirtyse ir viską išbandyti – toks buvo gyvenimas, kuriame laikas atrodė sustojęs. Turtingi romėnai džiaugėsi kiekviena jo akimirka.

Cintija sekė graikų kultūros mylėtojais, į Romą atnešusiais savo gyvenimo būdą. Toks gyvenimas jai patiko. Ji nepritarė konservatyviems ir reikliems romėnams, labiau vertinantiems griežtus Romos įsakymus nei graikų diletantizmą. Nors kai kurie romėnai stengėsi susilpninti graikų įtaką šalies gyventojų moralei ir filosofijai, Roma nebegalėjo likti tokia kaip anksčiau. Pokyčiai vyko natūraliai. Kitokių vertybių ir žinių ištroškę žmonės buvo atviri naujai kultūrai. Netašyti romėnai pamažu tapo jautresni menui.

Graikai plūdo į Romą kaip tik tuo metu, kai mieste brendo didžiuliai pokyčiai. Plautas ir Terencijus pjesėse vaizduoja glebius, dirbti nenorinčius veikėjus, kviečiančius geriausias prostitutes. Šių pjesių personažai dažniausiai tie patys. Tuometinėse komedijose būtinai veikia graži ir elegantiška kurtizanė, įsimylėjęs vyras ar ištvirkęs turtuolis, pasiryžęs patenkinti visus savanaudės ir klastingos moters norus, tėvas, labiau mėgstantis lankytis smuklėse nei Forume, *leno*, vadovaujantis viešnamiui ir turintis keletą vergų, apsukrus vergas, lydintis šeimininką į viešnamius ir mielai kenkiantis *leno*, kurį dramaturgai visada vaizduoja kaip nesimpatišką, nesąžiningą, šiurkštų ir godų žmogų.

Cintija labai panėšėjo į kurtizanes, galinčias sužlugdyti pasiturintį jaunuolį ar pernelyg įsimylėjusį meilužį. Romėnai jas vadino vilkėmis, o vietą, kur jos vertėsi savo amatu, – *lupanar**. Ta-

* Lot. *lupus* – vilkas; *lupanar* – viešnamis.

čiau buvo moterų, seniai palikusių savo varganą būstą dėl kur kas patogesnio turtingų meilužių patalo.

Pirmoji tokia vilkė, be abejo, buvo Remo ir Romulo žindyvė, garsioji Aka Larencija, kuri, pasak legendos, buvo pavojingos moters reputaciją turėjusi prostitutė. Ištekėjusi už turtuolio, Aka visus savo turtus paliko romėnų tautai su sąlyga, kad gruodžio 23 dieną jos garbei bus švenčiamos Larentalijos. Ant Akos kapo deivei buvo paaukotas gyvulys. Toks poelgis nieko nepapiktino. Prostitutės buvo išsikovojusios pakankamą pripažinimą, todėl šių švenčių niekas nepanaikino.

Žmonos taikstėsi su kurtizanėmis. Romėnai jas laikė labai svarbiomis. Jų nuomone, šios moterys sutvirtina santuoką. Kaip ir graikai, romėnai buvo įsitikinę, kad kurtizanės būtinos ir žmonių moralei nuo to tik geriau. Visi poetai, pradedant Horacijumi, manė, kad kurtizanes reikia gerbti, savo grožiu jos esą prilygsta kai kurioms karalienėms, o jų pareiga – rūpintis šeimų tvirtumu. Su kurtizanėmis bendraujantys romėnai neapgaudinės savo žmonų su kitomis matronomis. Joks vyras negeis savo kaimyno žmonos. Taigi kurtizanės nusipelno pagarbos, nes visuomenėje atlieka svarbų vaidmenį.

„Kurtizanės kūnas gražus kaip princesės, – rašė Horacijus. – Kokia gėda lankytis pas matroną, apsirengusią nuo galvos iki kojų ir įsisupusią į ilgą tuniką. Kam rizikuoti pakliūti į teismą ir susilaukti bausmės? Susirasti kurtizanę gatvėje, kur stoviniuoja gražuolės, ne taip pavojinga ir kur kas maloniau. Lankytis tokiose vietose nėra negarbinga! Tai nekelia pavojaus šeimai ar turtams. Visa kita – niekai, užgaidos, fantazijos, sukurtos lakios ir pavojingos vaizduotės, kuri nesupranta, ko reikalauja gamta, ir apsunkina tiek gyvenimą, tiek laimės paieškas. Vien pavojus ir rūpesčius kelia tokie poelgiai, kurie nedera garbingam, sąžiningam, protingam ir nuovokiam romėnui."

II

LAISVĖ IR AISTROS

Smukusi moralė

Lukrecijus irgi užstoja kurtizanes ir tiesiai pareiškia, kad verčiau patenkinti savo poreikius ir geidulius, nei geisti kaimyno žmonos. Tai jam atrodo garbingesnis ir piliečio vardo vertesnis poelgis. Jo manymu, vyrui geriau palikti sėklą geidžiamame, bet nepažįstamame kūne, užuot ją saugojus vienintelei viso gyvenimo meilei, kuri kankina ir užvaldo mintis.

Visi filosofai sutinka su šia nuomone. Ciceronas ėmėsi ginti Celijų, kaltinamą meilės ryšiais su Klodija.

– Ji tik prostitutė! – pareiškė jis.

Ir pridūrė, ką mano apie jaunimą:

– Uždrausti jiems neteisėtus santykius, daugelio manymu, reiškia gerą toną ir pavyzdingą auklėjimą. Tačiau nereikia atsilikti nuo savo epochos ir eiti prieš srovę. Šiandien Romoje laisvės daugiau. Mes mažiau pamokslaujame ir nebe taip griežtai elgiamės su jaunimu. Mieste karaliauja laisvė, todėl privalome būti tolerantiški. Esant reikalui, mūsų protėviai irgi mokėjo būti atlaidūs. Romėnai niekada nebuvo nepalenkiami. Priešingai, jie turi jausti tendencijas ir madas, kitaip atrodys kvailai. Senovėje niekas niekada nesmerkė tokio elgesio. Ar kada nors buvo uždrausta tai, kas šiandien leidžiama?

Minėdamas protėvius ar senus, pamokslauti mėgstančius romėnus, Ciceronas sakė tiesą, nes pats Katonas, garsėjęs kaip griežtas moralės saugotojas, sveikino jaunuolius, besilankančius pas prostitutes ar kurtizanes:

– Geriau eikite pas kurtizanes, o ne pas ištekėjusias moteris!

Tokia buvo visų romėnų, kurie dar labiau baiminosi įsimylėjusių jaunikaičių, nuostata.

Katonas jaunųjų romėnų prašė tik vieno:

– Nereikia lankytis pas meilės žinoves kiekvieną dieną. Nėra reikalo pas specialistes vaikščioti kiekvieną dieną. Visur reikia jausti saiką. Visiškai pakanka su jomis susitikti retkarčiais!

Tvirtos šeimos

Poetai atkartoja išmintingus Katono žodžius. Terencijus *Broliuose* tvirtina, kad visai ne gėda lankytis pas prostitutes, ypač paauglystėje, – juk mėgti gerą vyną irgi normalu. Tačiau senoliai negali elgtis kaip jaunimas. Vaikinams duodami patarimai ne visada tinka ir pagyvenusiems vyrams, juk šie užsitrauks gėdą, jei lankysis pas kurtizanes. Pjesėje *Pirklys* Plautas pabrėžia, kad toks elgesys labai negarbingas.

– Kam tavo amžiuje, – rašo jis, – lankytis pas prostitutes? Kiekvienam gyvenimo tarpsniui savi užsiėmimai! Palik tai jaunimui! Prisimink metų laikus. Žiemą vyksta ne tas pats kas vasarą. Taip ir kiekvienam gyvenimo tarpsniui sava veikla. Jeigu tavo amžiaus vyrams suteiktume teisę lankytis pas prostitutes, kas dėtųsi mūsų valstybėje ir šalyje? Palik tuos malonumus jauniesiems, jei nenori būti pasmerktas. Tavo gyvenimo būdas labai netikęs.

Kadangi už svetimoteriavimą grėsė mirties bausmė, tėvai griežtai prižiūrėjo savo sūnus. Motinos meldė dievų, kad sūnus niekada neatsidurtų ištekėjusios moters lovoje. Kartais tėvas ištekėjusią moterį pamilusiam sūnui netgi patardavo lėkti į viešnamį ir ten patenkinti savo poreikius. Pirkti prekę niekas nedraudė. Todėl buvo leidžiama nusisamdyti kurtizanę ir mylėti ką tik nori, išskyrus laisvuosius vaikus, ištekėjusias moteris, vyrus, skaisčias merginas ir našles. Romėnai negalėjo lankytis privačiuose namuose, bet pas sutenerį – kiek tik širdis geidžia.

Pajutusios didėjančią laisvę, tokios moterys kaip Cintija, ištekėjusios ar atgavusios laisvę, ėmė elgtis kur kas drąsiau. Dauguma iš prastuomenės kilusių prostitučių suteneriams į rankas patekdavo dar paauglės, tėvų paliktos vos gimusios, būdamos vergės, našlaitės ar elgetos. Iki IV amžiaus romėnai, kaip ir graikai, neretai palikdavo vos gimusias dukras. Kitos moterys, nupirktos turguje iš piratų, tapdavo vergėmis ar prostitutėmis.

Tuo metu, kai gyveno Cintija, romėnai iš tiesų labai bijojo piratų. Pastarieji puldinėdavo laivus, vogdavo prekes, grobdavo merginas, kurias paskui parduodavo, ir romėnų uostuose padeginėdavo laivus. Neretai iš tėvų pagrobta mergaitė patekdavo į kokią nors šeimą. Ten ji gaudavo išsilavinimą arba būdavo paruošiama kurtizanės amatui. Rašytojai pasakoja nemažai tokių istorijų. Tokiais atvejais mergaitė mokydavosi muzikos. Ji išmokdavo dainuoti, gražiai rengtis, dažytis, pabrėžti savo privalumus, paslėpti trūkumus ir ypač gundyti vyrus.

Graikijoje prostitutėmis dirbo ir labai jaunos mergaitės, o Romoje šiuo amatu verstis jos pradėdavo tik sulaukusios keturiolikos metų. Vis dėlto Romos gatvėse galėjai sutikti ir visai mažų vaikų, kuriuos klientams siūlydavo jų pačių tėvai. Tai netgi tapo įprastu skurstančių žmonių pragyvenimo šaltiniu.

Būdas išgyventi

Andrietėje Terencijus vaizduoja dramatišką situaciją, kokių Romoje dažnai pasitaikydavo.

„Iš Andro atkeliavo viena moteris. Ji apsistojo pas mus. Saviškių apleista vargšė moteris buvo žavi ir graži. Kadangi ji buvo garbinga ir padori, duoną pelnydavosi dirbdama: verpdavo vilną ir ausdavo drobę. Kartą vienas vyras jai pasiūlė pinigų. Ji sutiko. Paskui priėmė dar vieną vyrą ir galiausiai ėmė parsidavinėti."

Buvo moterų, kurios pasirinkdavo tokią išeitį, siekdamos atgauti nepriklausomybę. Kūriniuose nemažai pavyzdžių, kaip moterys ir jų dukros parsidavinėdavo, kad taptų laisvos. Joms reikėjo auginti ir maitinti vaikus, kurių susilaukė nuo atsitiktinių vyrų.

– Mano dukra tapo prostitute tik norėdama išgyventi! – sušunka motina viename Plauto dialoge. – Nenorime mirti iš bado!

– Kodėl gi ji nenorėjo ištekėti? – atkerta jai kitas veikėjas.

– Na, ir klausimas! Mano dukra kiekvieną naktį turi sutuoktinį. Turėjo vieną vakar. Turės ir šiąnakt. Ji niekada nebuvo vieniša kaip našlė! Gyvename vienos, be vyro. Mums tai vienintelis būdas išgyventi!

Vergai privalėjo didžiąją dalį uždarbio atiduoti suteneriams, – jais dirbo ir vyrai, ir moterys. Romoje šiuo amatu vertėsi daug moterų. Daugelis savo namus paversdavo viešnamiu, kaip liudija Pompėjuose rasti įrašai. Iš erotinių paveikslų ir jaudinančių frazių galima suprasti, kokiems įtartiniems užsiėmimams romėnai naudodavo dalį savo namo.

Ar Cintija panėšėjo į Plauto vaizduojamas prostitutes?

– Ji tarsi dygliuotas krūmas, į kurį susibadai pirštus. Kurtizanės širdis niekada negali suminkštėti. Jei klientas neturi kuo užmokėti, reikia išmesti jį lauk! O jei vyras turi pinigų iki soties, niekada nesulauks jos meilės. Kurtizanė turi būti kaip karys. Ji negali būti jausminga. Ji turi priiminėti tik turtingus klientus, o visus kitus išvaryti. Jei turtuolis tapo skurdžiumi, tegul keliauja sau kitur! Jei nebenori teikti dovanų, tai nerimtas klientas! Kurtizanė turi kurstyti savo godumą, vos tik kas ją palepina. Ji nepasotinama, ir bendrauti jai reikia tik su pasiturinčiais vyrais. Tikrai geras klientas tas, kuris dėl moters neskaičiuodamas išleidžia visą savo turtą ir apleidžia savo reikalus, nes domisi tik kurtizane.

Kurtizanė turėjo mokėti kurstyti meilužio pavydą, įtikinti, kad pastojo, arba apsimesti abejinga, kad gautų dar daugiau dovanų. Naudojamos gudrybės priklausė nuo klientų ir kvartalų. Suteneriai, rinkdamiesi vieną ar kitą merginą, įgudusiai įžvelgdavo jos talentą. O romėnų rašytojai kurtizanių apsukrumą vadina gundymo menu.

Cintija – kurtizanė?

Kartais Cintiją lygindavo su kurtizane, tačiau ji nė iš tolo nebuvo panaši į tas perkarusias, purvinas, ligotas moteris, kurios stoviniuodavo prie namų durų, vos prisidengusios kokio audeklo atraiža. Senovės rašytojai šias moteris vadina *meretricu-*

lae. Jos garsėjo savo specializacija arba rengdavo pasilinksminimus su keliais partneriais. *Palatino antologijoje* pasakojama, kad moteris, vardu Lidė, mielai savo kambaryje priimdavo tris vyrus, juos patenkindavo įvairiais būdais, santykiaudavo vaginaliniu ir analiniu būdais vienu metu, dar orališkai tenkindama trečiąjį vyrą, kuriam pakakdavo jos burnos. Lidė niekada neatstumdavo kliento draugų.

Tokių dalykų nebuvo Cintijos lankomuose kvartaluose, kur dirbo aukščiausios klasės kurtizanės. Iki II amžiaus pr. Kr. tokios kurtizanės dažniausiai net nesilankydavo pokyliuose. Dėl graikų įtakos šios moterys įgijo kur kas daugiau laisvės. Matydamos, kiek laisvės turi geras manieras išmanančios kolegės graikės, romėnės perėmė ne tik jų papročius, bet ir vardus. Keletas nusenusių matronų dar piktinosi tokiu nuosmukiu, bet dauguma romėnų tik juokėsi iš tų, kurie patikėdavo kurtizane, žadėjusia meilės naktį, o atsivesdavusia visą šeimyną, – meilužiui nelikdavo nieko kita, tik pasirūpinti keliais žmonėmis.

Aukščiausios klasės kurtizanės nenorėjo, kad jas laikytų eilinėmis prostitutėmis. Jų gyvenimo būdas tiesiog stebino. Tačiau Plautas teigia, kad po prabangos demonstravimu slypėjo ateities baimė, todėl jos kruopščiai saugojo visas dovanas. Kai turėdavo meilužių, šios moterys misdavo juoda duona, rengdavosi bet kaip ir gyvendavo siaubingai apsileidusios. Kurtizanės laukdavo karių. O kai šie grįždavo iš karo, rašo Plautas, jos apsivilkdavo gražiausius rūbus. Išsipusčiusios moterys išeidavo iš namų ir patraukdavo į medžioklę.

Ar Cintija irgi taip elgdavosi? Jei tikėsime Propercijumi, ji visada elgėsi kaip pernelyg išpaikinta kurtizanė. Užuot mylėjusi, Cintija jį niekino. Dialoguose Plautas dažnai žodį suteikia kurtizanėms ir jų motinoms.

– Kaip drįsti man atsakyti savo dukterį! Priminsiu tau, kuo anksčiau buvai! Skudurais apsikarsčiusi elgeta, grauždavai duonos kriaukšlelį, rastą šiukšlių krūvoj! Ir drįsti atsukti man nugarą, nes nebeturiu pinigų? – piktinasi vienas klientas.

– Mano dukra susiras kitą vyrą!

– Kur dėjai pinigus, kuriuos tau daviau?

– Išleidau. Kitaip mielai atsiųsčiau tau dukrą, nieko už tai neprašydama. Šviesa, saulė, naktis, lietus, mėnuo nemokami. Nėra reikalo mokėti, jei nori jais džiaugtis! Bet visa kita... Aš moku kepėjui, moku smuklininkui. Taigi jei nori mano dukters, mokėk!

Propercijus neatleido Cintijai už neištikimybę. Ar jinai laikė jį paprastu klientu? Kurtizanės turėjo ištikimų klientų. Kurtizanė atsiduodavo visiems – bendraudama su vienu, ji pagirdavo kitą, mirktelėdavo trečiam ir linktelėdavo ketvirtam. Mylėdavo vieną, apkabindavo kitą, vienam meilužiui tiesdavo ranką, kitam – koją, vienam įsimylėjėliui rodydavo savo papuošalus, kitą kviesdavo, vienam dainuodavo, kitam – rašydavo laiškus.

– Koks skirtumas tarp Cintijos ir kurtizanės? Mano meilužė mane apgaudinėja. Ji manęs nemyli. Ji turi keletą meilužių, kaip ir visos kurtizanės, besirūpinančios savo ateitimi.

Kartais nelengva atskirti, kur Propercijus iš tiesų pyksta, o kur jo eilės tiesiog atitinka žanro reikalavimus. Bergždžias beldimasis į meilužės ar kurtizanės duris buvo tapęs madinga, iš graikų perimta tema, dažnai naudojama elegijose meilės skundui išsakyti.

III

KURTIZANIŲ IŠVAIZDA

Noras išsiskirti

Cintija rengėsi kaip visos kurtizanės. Jos išvaizda kuklumu nepasižymėjo. Iš tiesų Transtevero prostitutės ir aukščiausios klasės kurtizanės dėvėjo gražiausias tunikas. Per šventes jos dar labiau rūpindavosi savo išvaizda. Cintija, kaip ir visos kurtizanės, garbino deivę Venerą.

Cintija dienas leisdavo maudydamasi, mėgaudamasi masažu, šluostydamasi, dažydamasi, šukuodamasi, kvėpindamasi. Jos kūnu rūpinosi keletas tarnaičių: jos ją šluostydavo ir įtrindavo kremais. Propercijus jai labiausiai priekaištavo už saiko ir kuklumo stoką. Kurtizanės paprastai dėvėdavo trumpas tamsias tunikas, o matronų tunikos buvo tradicinės, ilgos. Dauguma kurtizanių stengėsi išsiskirti iš matronų, todėl neretai rengdavosi provokuojamai. Vienoje Plauto komedijoje moteris pareiškia:

– Galima sakyti, kad mes kaip ta sūdyta žuvis, kurią reikia ilgai mirkyti vandenyje, kad išnyktų nemalonus kvapas. Jeigu žuvis pernelyg sūri, ji niekam nepatiks. Mes turime būti elegantiškos, kitaip mus išmes kaip tas pernelyg sūrias žuvis.

Siekdamos būti kuo patrauklesnės, moterys į madą įvedė neįprastus rūbus. Cintija pirmoji pasirodydavo su įprastas taisykles laužančiais ir visų dėmesį traukiančiais drabužiais. Ji be perstojo siekė gundyti vyrus. Kaip kurtizanės išsiskirdavo iš kitų? Vienos dėvėjo „karalienės", „nuskurdėlės" ar „impluvium" tipo tunikas. Pastarosios turėjo stačiakampę iškirptę, panašią į indą, kuriame romėnai rinko lietaus vandenį ir kurį vadino impluvium. Kurtizanės dažnai kaitaliodavo trumpas ir visą kūną dengiančias tunikas. Jų marškiniai būdavo siuvinėti ar papuošti kutais. Daugelis rinkdavosi ryškiai geltoną spalvą. Bet Cintija dėvėdavo ir žalias, gelsvas bei tamsiai ar šviesiai rudas sukneles. Pasiduodamos Rytų įtakai, kurtizanės rinkosi vis neįprastesnes spalvas ir dėvėjo permatomas, vis labiau gundančias tunikas.

Kaip ir visos patikti trokštančios moterys, Cintija rūpinosi savo svoriu. Tuo metu buvo madinga laikytis dietos, siekiant sulieknėti. Vyrams derėjo turėti neraumeningą krūtinę ir nuolaidžius pečius. O pernelyg apkūnioms moterims, kurias lygindavo su atletais, telikdavo sulieknėti arba juostomis susiveržti savo apvalumus ir tikėtis sutikti artimą sielą. Kai kurie rašytojai mini, kad buvo ir nepaprastai liesų moterų, pernelyg sekančių mada.

Kūno priežiūra

Cintija dažydavosi ryškiai kaip prostitutės. Ji gausiai kvėpindavosi ir nešiodavo daug papuošalų. Neretai kurtizanės šviesiai dažydavo plaukus arba dabindavo juos turbanais, į kuriuos prikaišiodavo gyvų gėlių. Norint išgauti visų moterų trokštamą gražią, šviesią plaukų spalvą, tereikėjo sumaišyti skroblo pelenus su ožkos taukais arba pasigaminti lazdyno riešutų luobelių, acto nuosėdų ir mastikmedžio aliejaus antpilą.

Cintija turėjo gražius plaukus, kuriuos norėdama galėjo tamsinti juoduoju vynu arba dėlių antpilu. Nors kurtizanės gausiai naudojo perukus, jos rūpestingai prižiūrėjo plaukus, nes išretėję ar pražilę plaukai nebuvo laikomi gražiais. Cintijos laikais šukuosenos dar buvo gana paprastos, bet ilgainiui sudėtingėjo. Neretai galėjai išvysti moterį mėlynais plaukais.

Cintija žinojo keletą gudrybių. Kad visą dieną maloniai kvepėtų, plaukus ji drėkino žibuoklių aliejumi, kaip darydavo Aleksandrijos gyventojai. Namuose ji raudonai dažydavo krūtų galiukus, o krūtis įsprausdavo į paauksuotą tinklelį, kurį jos meilužiai su malonumu atmegzdavo. Kaip ir egiptietės, Cintija mėgo, kad oda būtų be jokio plaukelio. Ji puošdavosi falo pavidalo vėriniais, o plaukus kartais susukdavo į kuodą ir apvyniodavo jį ryškiaspalve juostele.

Cintija žinojo visus būdus, padedančius atrodyti jaunesnei. Vyresnės kurtizanės auksiniais siūlais prisitvirtindavo dirbtinius dantis. Kad ir jai netektų griebtis tokių priemonių, Cintija kelis kartus per dieną valydavosi dantis. Jos burna visada buvo gaivi, nes ji kramsnodavo mėtų pastiles arba skalaudavo burną kvapniu vandeniu. Kartais ji čiulpdavo mirtų ir mastikmedžio pastiles, gerdavo vyną ar kramtydavo balzaminės tuopos uogas ir vilkdalgių šaknis.

Kaip ir visos romėnės, Cintija nepaprastai mėgo lankytis Bajuose, populiariame kurorte. Propercijus teigė, kad tas miestas tapo paleistuvystės centru. Jis apgailestavo, kad Cintija ten taip dažnai lankosi. Bet niekas negalėjo sukliudyti Cintijai elgtis taip, kaip jai šaudavo į galvą, ir gali būti, kad Propercijaus įspėjimai bei patarimai ją tik kurstė daryti priešingai!

Cintija kaitindavosi saulėje, nors romėnės garsėjo savo šviesia oda. Šviesi oda buvo turtingumo, prabangos ir elegancijos ženklas. Jeigu Cintija pernelyg įdegdavo, ji naudodavo seną egiptiečių ar rodiečių receptą – šviesindavo odą iš krokodilo ekskrementų pagamintu tepalu arba iš švino gauta pasta, kurią romėnės pirkdavo turguje iš Rodo jūrininkų. Ši pasta saulėje ištirpdavo, todėl ją reikėdavo užtepti dar kartą. Cintija naudodavo ir rūgštyje išmirkytą kreidą, nors šią abejotiną priemonę ištirpindavo lietus. Ji taip pat žinojo daugybę receptų, paslepiančių nuovargio pėdsakus, nes Bajuose virte virė naktinis gyvenimas, o Cintija norėjo dalyvauti visose šventėse.

Puošnios ir žavingos

Ryškiai raudonai išdažyti skruostai, anglimi ar iš suodžių pagamintu tepalu apvesti vokai ir paryškinti antakiai naudojant adatą – grožiui puoselėti Cintija turėjo daugybę būdų. Siekdama tobulo grožio, ji naudojo poras sutraukiančius miltelius prakaitavimui sumažinti, iš pupų pagamintą tepalą odai išlyginti ir raukšlėms naikinti bei įvairias kaukes, su kuriomis būdavo visą naktį.

Duonos minkštimas, sumaišytas su kiaušiniais, miežių ir javų miltais, elnio ragų milteliais, medumi, susmulkintais narcizų svogūnėliais, buvo gana veiksmingas, o kita priemonė – tepalas iš riebalų, nugramdytų nuo avies nugaros vilnos, – palikdavo nemalonų kvapą, atbaidantį meilužius. Šį mišinį paruošti buvo nelengva. Norint gauti tepalą, riebalus reikėjo keletą kartų išlydyti, paskui palikti saulės atokaitoje. Nuo visų šių tepalų sklido nepakenčiama smarvė.

Norėdama atsipalaiduoti ir išsaugoti švelnią odą, Cintija maudydavosi asilės piene, kaip vėliau darys Popėja, Nerono žmona. Ji žinojo šimtus receptų nedidelių negalavimų atveju: perštinčią odą tepdavo su miltais išsuktu sviestu, suskilinėjusią gydydavo gyvuliniais riebalais, o patamsėjusiai odai skaistumo suteikdavo karvių mėšlas arba aliejus. Jei visų šių tepalų ir aliejų nepakakdavo, buvo griebiamasi jau žinomos priemonės odai švelninti – pemzos.

Cintija be galo kruopščiai rinkdavosi papuošalus – žiemą prabangesnius, vasarą paprastesnius. Batelius ir suknelių palankus ji puošdavo perlais, labai vertino papuošalus iš opalų ir smaragdų. Ji taip pat pirkdavo iš egiptiečių nusižiūrėtas susisukusių gyvačių pavidalo apyrankes. Šie papuošalai dažniausiai buvo gaminami iš aukso.

Deja, toks rūpinimasis išvaizda ne visada patiko poetui Propercijui, kuris troško, kad meilužė dabintųsi vien dėl jo. Kai Cintija pernelyg išsipustydavo ir lydėdavo ne jį, Propercijus ją lygindavo su samdomomis šokėjomis, pokyliuose dainuojančiomis nešvankias dainas.

Ar Cintija buvo geresnė už Aventino kvartalo kurtizanes, kurias pasamdydavo mėnesiui ar šventei? Horacijus dažnai sumokėdavo kokiai moteriai, kad ši lydėtų jį per šventes Neptūno garbei. Cintiją galėjai lyginti su kurtizanėmis, nesilaikančiomis sutarties. Samdant moterį, pagal visus reikalavimus buvo sudaroma sutartis su tiksliai numatytais terminais. Moterį perkantis meilužis norėjo užsitikrinti, kad ši nepaliks jo dėl kito.

Cintija nesilaikydavo savo įsipareigojimų. Nors Propercijus jai teikdavo dovanas, nors troško ją mylėti, jaunoji moteris nedvejodama susidėdavo su kitais vyrais. *Asiluose* Plautas pateikia samdymo sutarties pavyzdį. Klientas sumokėjo sutenerei (*lena*) dvidešimt sidabrinių minų su sąlyga, kad visus metus galės bendrauti su viena jos kurtizanių ir ši dieną naktį bus su juo. Kurtizanė neturinti teisės į jo namus atsivesti svetimšalio, draugo ar patrono. Ji privalanti atstumti visus vyrus. Ji niekam negalinti rašyti. Jeigu tam reikalui turinti vaškinių lentelių, privalanti kuo greičiau jas išmesti arba klientas jas panaudosiąs savo nuožiūra.

Griežtos sutartys

Taigi sutartyse būdavo numatomi tikslūs terminai. Būdavo patikslinama, kad kurtizanė privalo gerti tuo pačiu metu, iš tos pačios taurės ir tą patį gėrimą kaip ir klientas. Kai šis pasikviesdavo draugų, jai buvo draudžiama į juos žiūrėti ir gundyti. Ji negalėjo demonstruoti savo papuošalų, taip pat negalėjo priimti niekieno pagalbos, net jei tenorėjo atsikelti nuo sofos. Palietus vyro ranką ar brūkštelėjus per koją, sutartis buvo tučtuojau nutraukiama.

Šie suvaržymai, kurių reikėjo laikytis ištisus metus, būtų atbaidę ne vieną kurtizanę. Bet dėl siūlomos sumos vertėjo nusileisti. Kurtizanė daugiausia turėjo tylėti, žaisti kauliukais buvo galima tik su ją nusamdžiusiu vyriškiu. Ji galėjo garbinti tik deives arba paprašyti kliento jos vardu pagarbinti vieną ar kitą dievą. Kurtizanei buvo draudžiama judėti tamsoje, šnekėti dviprasmybes, kurias būtų galima palaikyti kvietimu, kalbėti užsienio kalba, nes taip būtų galėjusi pasakyti viską, ką nori nuslėpti nuo kliento. Jai taip pat buvo draudžiama kosėti iškišant liežuvį ar šluostyti tekančią nosį liežuvio galu, – šie įtartini judesiai galėjo įaudrinti kito vyro vaizduotę. Negalėjo būti nė kalbos apie tai, kad kurtizanę pardavusi *lena* būtų pakviesta prie stalo ar kad mergina įteiktų gėlių kitam vyrui be savo vienintelio meilužio žinios. Jei kurtizanė panorėtų pagerbti deivę gėlių vainiku, pageidautina, kad ją lydėtų vergas, stebintis kiekvieną jos judesį.

Propercijus troško, kad Cintija būtų jam visiškai atsidavusi ir panėšėtų į samdomas moteris, besilaikančias griežtų taisyklių, visiškai nepaliekančių vietos fantazijai. Bet Cintija neketino atsisveikinti su laisve, tuo labiau kad turėdama daugybę meilužių ji gaudavo daug dovanų, kurių neprivalėjo atiduoti suteneriui ar sutenerei.

IV

SUTENERIAI

Cintijos įsipareigojimai

Vis dėlto Propercijui neteko turėti reikalų su *lenones*, tais nekenčiamais vyrais, kuriuos romėnai lygino su utėlėmis ir kurie buvo neverti garbingų piliečių vardo. Tai daugiausia buvo vergų pirkliai; jie priversdavo moteris tapti įtakingų vyrų palydovėmis, pažadėdami vieną dieną joms suteikti laisvę. Tačiau prieš tai reikėjo susirasti dosnių klientų, nes *leno* grasindavo blogiausiai dirbančias verges palikti blogos reputacijos viešnamyje, kur gyveno senos ir bjaurios kurtizanės, nebeturinčios jokių lėšų pragyvenimui. Propercijui neteko bendrauti su tokiais nedorais, žiauriais *lenones*, kurie plakdavo savo verges. Šie iškrypėliai ir dykaduoniai kaupdavo maistą ir dovanas bei derėdavosi su pardavėjais, siekdami mėsos gauti veltui.

Kai kuriems pavykdavo atkeršyti *lenones* ar pridaryti jiems nemalonumų. Propercijus irgi buvo iš tų, kurie jų neapkentė. Bendraudamas su Cintija, jis jautėsi apiplėštas, tarsi būtų nusamdęs merginą iš nesąžiningo *leno*, – kartais šie tą pačią merginą parduodavo keliems klientams ir gaudavo keliskart didesnius pinigus. Tačiau, nors ir neturėjo reikalų su suteneriu, Propercijui teko bendrauti su tokia pat nepakenčiama moterimi. Cintija buvo pasirengusi atsiduoti tam, kas daugiau sumokės.

Griežtos viešnamių taisyklės

Beveik visos kurtizanės turėjo paklusti *leno* valiai. Šis stoviniuodavo prie namo laukdamas kliento ir iškart įvertindavo jo išvaizdą ir piniginę. Kadangi moterys buvo suskirstytos į kategorijas pagal amžių, specializaciją ar grožį, *leno* padėdavo klientui išsirinkti. *Sine qua non* sąlyga*, norint patekti į viešnamį, – sumokėti iš anksto. Tą, kuris neturėjo pakankamai pinigų, be gailesčio išvarydavo.

– Pasiskolink, eik pas palūkininką, apvok savo tėvą, pirk ir parduok brangiau! – patardavo *leno*.

Jei klientas atsisakydavo nusižengti moralei, *leno* atšaudavo, kad tada jam geriau glamonėti savo moralę nei kurtizanę. Nors *lenones* būdavo dėmesingi ir gudrūs, kartais ir juos apvogdavo. *Broliuose* Terencijus pasakoja, kaip klientas išsiveda kurtizanę, o grąžinęs ją *leno* sumoka tik pusę žadėtos sumos.

Kartais *leno* būdavo niekingesnis už vagį. Kai kurie Plauto personažai įkūnija banditus, sukčius, plėšikus.

– Geriau jau dirbti akmenų skaldykloje nei pas tą žmogų! – sakydavo kurtizanės. – Jis vadovauja tikrai pasileidėlių landynei, kur knibžda svetimšalių, raitininkų, pėstininkų, vagių, žmogžudžių, pasprukusių vergų, pabėgėlių. Koks skirtumas, kokie klientai, jeigu tik jie pinigingi! Tas viešnamis – purvina skylė. Ten visi plempia ir ryja. Ten daugybė derva uždarytų butelių, nes vyno mėgėjai čia traukia dažniau nei kitur.

---

* Lot. *sine qua non* – būtina sąlyga, be kurios neįmanoma ką nors pradėti.

Kartais kurtizanės paliudydavo, ką mačiusios ar išgyvenusios, nors dauguma bijojo *leno* rimbo, kurio šis dažnai griebdavosi. Jos baisėdavosi tuo, kas dedasi kai kuriuose viešnamiuose, kur vergės atiduodavo *leno* paskutinius pinigus. *Leno* apiplėšinėjo klientus, bet ir jį patį galėjo apvogti jo paties namuose. Todėl jis budriai saugojo savo turtą. Neretai jaunuolių gauja jam nežinant išnešdavo įvairių daiktų ar maisto. Valandai nusamdyta kurtizanė tebūdavo dingstis geriau apžiūrėti namus ir pasiruošti apiplėšimui.

Kai kurie aukštuomenei priklausantys jaunuoliai tik juokdavosi iš tokios namų priežiūros ir jausdavo malonumą, galėdami apgauti *leno*: jie atvykdavo su draugais, sumušdavo *leno*, išlauždavo jo viešnamio duris ir vakarui išsivesdavo patinkančią kurtizanę.

– Aš oficialiai suteikiu jai laisvę, – pareikšdavo klientas. – Ką ketini daryti? Jei mėginsi sukliudyti, paduosime tave į teismą.

Nešvariais darbeliais užsiiminėjantis *leno* teismo bijodavo, todėl nusileisdavo. O Romos policija naktim nesnausdavo. Kartais ji sulaikydavo chuliganus ar prostitutes ir turėjo teisę įvykdyti mirties bausmę pabėgėliams. Todėl, pasirodžius policininkams, vagys ir pabėgę vergai puldavo slėptis. Suburos gatves saugojo nemažai tvarkdarių, nors kai kurie ir baiminosi, kad per muštynes gali žūti. Tačiau jų buvo per mažai, kad pajėgtų sustabdyti nusikalstamumą, spręsti klientų ir *leno* ginčus, kontroliuoti smukles ar išskirti dėl kurtizanės susimušusius užsieniečius.

Moterų sutenerių reputacija buvo ne ką geresnė nei vyrų. *Meilės mene* Ovidijus vaizduoja nesimpatišką *lena*. Ją vadino mirtinai geliančia gyvate. Vos prašvitus, saulei tekant, ji jau būdavo girta. Kadangi sutenerė buvo dar ir ragana, savo kėslams ji naudodavo suverptus siūlus, augalus ir prieskonius. Ji bendraudavo su savo protėviais. Ši be perstojo kalbanti moteris, savo žodžiais geldama lyg geluonimi, naikino gėrį ir visiems kenkė.

Kartais tokios moterys mėgdavo skųstis, nors gailesčio nesulaukdavo. Jos tapo romėnų komedijų personažais:

– Tas klientas mane sumušė! Jis pagrobė vieną merginą ir tikriausiai ją grąžins nesumokėjęs! Jei mėginsiu protestuoti, jis ras liudytojų, kurie jį palaikys. Man nebeliks ką daryti. Tuos smūgius dar kaip nors iškęsčiau, jei tik man būtų sumokėta. Bet žinau, kad dabar su savo pinigėliais galiu atsisveikinti. O juk aš dirbu savo darbą kaip visi žmonės, todėl reikia man sumokėti!

Vyrų konkurencija

Jei tikėsime Propercijumi, Cintija buvo pasirengusi viskam. Ji būtų lydėjusi bet kurį turtingą meilužį, kad tik gyventų dar didesnėje prabangoje. Labiausiai ji reikalavo visiškos laisvės. Kartais pokyliuose ji prisidėdavo prie jaunų efebų*, kuriuos nusamdydavo jos bičiuliai klientai. Graikijoje buvo paplitusi pederastija, o romėnai nuo IV amžiaus pr. Kr. kviesdavosi efebus. Jaunikaičiai priimdavo turtuolių pasiūlymus, nes troško geresnio gyvenimo.

Romos imperatoriams patarnaudavo ir lovoje juos linksmindavo vergai arba atleistiniai. Šiuos įpročius perėmė ir aristokratai, nors III amžiuje pr. Kr. priimtas įsakymas draudė pederastiją. Paaugliai dažniausiai buvo kilę iš Azijos ar Afrikos. Turguje juos dažniausiai nusipirkdavo vyresni vyrai.

Cintijos laikais labiausiai vertinami buvo Aleksandrijos, Sirijos gyventojai bei maurai. Galbūt įžymusis Trimalchionas,

* Efebai – 18 metų jaunuoliai; šio amžiaus jie tapdavo piliečiais.

išgarsėjęs savo pokyliais, buvo vienas iš jų? Jis pats rašė, kad
vaikystėje keletą metų buvo vieno vyro vergas. Cintija susi-
durdavo su paaugliais, kuriuos, kaip ir kurtizanes, kartais sam-
dydavo kokiai nors šventei. Jie būdavo gražiai apsirengę, dai-
nuodavo, šokdavo, pasakodavo erotines istorijas, susirinku-
siesiems nešiodavo dubenėlius vandens su citrinų sultimis, val-
gius, gėrimus ir vėdindavo svečius plunksnų vėduoklėmis. Aris-
tokratai mėgo tokias gašlumo kupinas puotas, toli gražu ne-
prilygusias rafinuotiems graikų pokyliams. Tuos paauglius ga-
lėjai lengvai atpažinti iš ilgų sugarbanotų plaukų. Jie buvo pa-
sirengę viskam, kad tik vieną dieną atgautų laisvę.

Šventės ir ištvirkavimas

Cintija dalyvaudavo visose šventėse, ypač kai buvo garbinamos
moterys, vaisingumas, malonumai ir meilė. Pasakojama, kad kur-
tizanė Flora visą savo turtą padovanojusi romėnams su sąlyga,
kad jie kasmet jos garbei švęstų Floralijas. Šia proga Cintija,
kaip ir daugelis moterų, dėvėdavo ryškių, linksmų spalvų tuni-
kas. Linksmybės trukdavo keletą dienų. Žmonės dalyvaudavo
cirke vykstančiuose žaidimuose, gaudavo dovanų ir maisto.

Kurtizanės švęsdavo aktyviau nei bet kas kitas. Jos laikėsi
Ovidijaus priesako: nieko nelaukiant naudotis grožiu ir jau-
nyste. Tokios liaudies šventės neretai tapdavo vulgarios, nes
prostitutės ten pasirodydavo nuogos, ir visi galėjo jas apžiūri-
nėti, besistaipančias ant specialiai sukaltų pakylų. Kartais žmo-
nės pamiršdavo, kad šių švenčių tikslas yra religinis – skatinti
vaisingumą.

Rugpjūčio ir balandžio mėnesiais buvo garbinama Venera.
Ir per šią šventę Cintijai grožiu negalėjo prilygti jokia moteris.

Ar Cintija parsidavinėdavo ritualų deivės Motinos garbei metu? Kai kurios romėnės tuomet imdavo ištvirkauti lyg prostitutės. Ar Juvenalis perdeda sakydamas, kad pačios padoriausios romėnės, išgirdusios trimitus ir apsvaigusios nuo vyno, tapdavo prostitutėmis, šūkaudamos raudavosi plaukus, reikalaudavo nedelsiant jas patenkinti ir būdavo pasirengusios santykiauti su vergais ar asilais?

Per Adonio šventes žmonės irgi užmiršdavo visus suvaržymus. Juvenalis daro išvadą, kad moterys parsidavinėdavo visose šventyklose, ir menkiausia šventė matronoms buvo proga pajusti laisvę. Netoliese esančios šventyklos ir smuklės skatino prostitucijos vystymąsi. Kai kurie ritualai virsdavo tikru ištvirkavimu. Dėl malonumo žmonės užmiršdavo religinį eitynių pobūdį ir dievų garbinimą.

V

ŽMONA AR KURTIZANĖ?

Didesnė laisvė

Pamažu romėnų moralė tapo nebe tokia griežta. Romėnai užmiršo griežtus buvusių senatorių įsakymus ir, perėmę graikų papročius, ėmė atlaidžiau vertinti geidulingumą. Malonumų vaikėsi visų amžiaus grupių ir socialinių sluoksnių žmonės. Anksčiau Romą žavėjo egiptiečių poezija, o dabar ją užplūdo prekės iš Aleksandrijos.

Moterys vis dažniau dabinosi rytietiškais papuošalais ir rūbais. Jos godžiai pirko aštrius kvepalus, kuriais prekiavo tik Egipto pirkliai. Seniau romėnai siekė tapti senatoriais ir gyvai domėjosi teise, o dabar visi rašė eiles, filosofavo ir linksminosi pokyliuose, kur kalbėjo apie gyvenimą. Nors buvo romėnų konservatorių, nepasiduodančių šiai dykinėjimo madai, jų sūnūs troško kitokio gyvenimo, todėl išeidavo iš namų arba nekreipdavo dėmesio į tėvų patarimus.

Apie tai rašo Terencijus *Broliuose*. Du broliai buvo auklėjami skirtingai. Vieną auklėjo griežtas tėvas; toks gyvenimas vaikinui nepatiko. Kitas gyveno su dėde ir galėjo daryti, ką tik panorėjęs. Pirmasis vaikinas įsimylėjo prostitutę ir pradėjo pas ją lankytis, siekdamas išsiveržti iš, jo manymu, pernelyg griežto tėvo valdžios.

Kurtizanių galia

Tuo metu kurtizanės įgijo nepaprastą galią. Kai kurios atstumdavo klientus todėl, kad jų turėjo per daug, arba dėl to, kad jie buvo nepakankamai turtingi. Kurtizanių reikėdavo maldauti. Romėnai jas laikė išskirtinėmis asmenybėmis.

Visai kaip Propercijus, vienos Terencijaus pjesės veikėjas Fedrijas pamilsta muzikantę. Nors ši neturi jokio turto ir gyvena pas nepaprastai blogos reputacijos *leno*, vaikinas ją lydi į mokyklą, kur mergina mokosi muzikos. Jaunikaitis nedvejodamas aukština paprastą prostitutę.

Visai kaip Propercijus, Charinas iš Plauto komedijos *Pirklys* įsimyli kurtizanę ir, tenkindamas jos nesibaigiančias užgaidas, galiausiai nusigyvena. Literatūroje daugybė tokių ne itin šlovingų veikėjų, kurie, nepaisydami aukštos padėties ir turtų, leidžiasi sužlugdomi kurtizanės. Plauto komedijos *Šiurkštuolis* veikėjui Strabui trūksta pinigų, kad įtiktų moteriai, kuri reikalauja vis daugiau, bet jam vis neatsibosta.

– Kai įteiki tai moteriai vieną dovaną, ji užsimano viso šimto, – tvirtina Diniarkas. – Ji pametė papuošalą, reikia naujo. Ji nori naujo šalikėlio, nes savąjį suplėšė. Jai taip pat reikia tarnaitės, lovos, sidabrinių ar bronzinių indų, spintos...

Meilužis buvo lyginamas su kepsniu, kurį galėjai ruošti kaip nori. Galėjai jį kepti keptuvėje ar ant grotelių. Galėjai vartyti kiek tik nori. Meilužis nešykštaudavo. Pinigai tirpte tirpo. Vyras troško tik vieno – patikti kurtizanei.

Romos imperatorius ir karvedžius supo šokėjos, su kuriomis jie sudarydavo sutartį. Apie daugelį buvo žinoma, kad jie myli prostitutes ir dažnai pas jas lankosi. Jos nuolatos lydėjo Sulą. Sicilijos valdytojas Veris paplūdimiuose pastatydino gražius namelius ir ten apgyvendino kurtizanes. Antonijus dievino kurtizanes, lydėdavusias jį per visus žygius. Kleopatra nesunkiai jį suviliojo, dovanodavo jam meilių šokėjų ir dainininkių, vesdavosi į blogai pagarsėjusius Aleksandrijos kvartalus, rodydavo, kad turtų pertekusiame Egipte galima peržengti visas ribas. Romėnai Antonijui priekaištaudavo už besaikį malonumų vaikymąsi.

– Romėnai gėdijosi gyventi kaip Aleksandras, – rašė Plutarchas. – Jis be perstojo gerdavo, švaistydavo pinigus, lankydavosi pas kurtizanes, visą dieną miegodavo, o iš pokylių išeidavo svyrinėdamas. Užuot kovojęs, jis vaikščiodavo į teatrą.

Pamėgęs prašmatnias puotas, per kurias kartu su Kleopatra mėgaudavosi besaike prabanga, Antonijus nenorėjo palikti Egipto karalienės. Romėnai smerkė jo elgesį ir netrukus ėmė jam prikaišioti valios stoką. Rytai kurstė Antonijaus geidulingumą. Kai pirmą kartą susitiko su Kleopatra, jis dar niekada nebuvo matęs tokios ištaigos. Jo paties turtai nė iš tolo neprilygo tokiai prabangai. Kleopatra apsvaigino jį saldžiausiais malonumais, o tapęs jos įgeidžių vergu Antonijus stojo į jos pusę ir pralaimėjo Aktijo mūšį.

Dažnas romėnas turėjo savo mylimiausią heterą. Kai kurios kurtizanės tapdavo tikromis žvaigždėmis, kaip pasileidėlė Pecija. Jos būdavo ir vyrų patarėjos:

– Ji mokėjo naudotis vyrais ir daryti paslaugas savo draugams, todėl jos galia labai išaugo. Ji buvo žavinga, atsidavusi ir labai energinga, – rašė Plutarchas. – Pecijos meilužis buvo įtakingas politikas – Cetegas, Marijaus draugas. Todėl savo patarimais ji galėjo daryti įtaką Romos politikai ir siekti naudos Pompėjams.

Propercijaus konkurentai

Cintija turėjo iš ko rinktis, ir Propercijus nuolatos jautė konkurenciją, nes į Romą, kur laukė malonus gyvenimas, vis gausiau plūdo užsieniečiai. Apie tai aiškiai kalba poetas Juvenalis. Vienoje satyroje (III, žr. nuo 60 eilutės) jis rašo:

„Negaliu aš pakęsti, kviritai,/graikiškos Romos, tegul ir nedaug to achajiško šlamšto!/Tiberin jau kažkada įsiliejęs siras Orontas/kalbą ir papročius mums atplukdė kartu su fleitistėm,/ arfas, taip pat timpanus iš Sirijos čia atgabeno/bei linksmutes mergeles, prie cirkų stypsančias nuolat:/šen, kam patinka Rytų kekšelės raštuotais turbanais!"*

Kai kurių poetų manymu, pavojinga demonstruoti prabangą skurdžių kvartalų gyventojams. Ištaigingos vilos stovėjo pernelyg arti Suburos daugiaaukščių namų. Prostitutės lankydavosi net kapinėse: jų klientai būdavo lavonus deginantys vergai. Juvenalis mini raudonplaukes kapų prostitutes, kurios kartais griebdavosi magijos ir keistų apeigų. Jos ruošdavo mikstūras, užsiiminėdavo juodąja magija, aukodavo aukas. Horacijus netgi pateikia dviejų raganų vardus. Jos rengdavosi juodai, vaikščiodavo basos ir palaidais susivėlusiais plaukais. Jų oda buvo tokia balta, kad jas išvydusieji išsigąsdavo. Šios moterys pirštais gremždavo kapinių žemę, rydavo žalią mėsą tarsi žvėrys. Nuleisdamos aukai kraują, jos šaukdavosi mirusiųjų ir bandydavo su jais bendrauti. Tos raganos garbino Hekatę ir savo kėslams naudodavo figūrėles iš vilnos ir vaško. Daugelis romėnų virpėdavo, vien pagalvoję apie jų apeigas. Sklido kalbos, kad jos nužudė daug vaikų, laidodavo juos gyvus, kad at-

---

* Juvenalis. Satyros. Vilnius, 1983, p. 19. Iš lotynų kalbos vertė Aleksandra Bendoriūtė.

keršytų varžovei. Iš šių vaikų organų raganos gamindavo stebuklingus meilės gėrimus.

„Kanidija, – rašo Horacijus V *Epode*, – nuogo mirtinai išsigandusio vaiko akivaizdoje degindavo figmedžius, varlės kraujyje išmirkytus kiaušinius, pelėdos plunksnas, Tesalijos augalus, kaulus... Sabana apšlakstydavo jį Averno ežero vandeniu... Vaiką užkasdavo duobėje, palikdami kyšoti galvą, ir jis lėtai mirdavo. Kai jis pagaliau numirdavo, įsmeigęs akis į netoliese padėtus valgius, kurių negalėjo pasiekti, raganos išplėšdavo jo kepenis, kaulų čiulpus ir gamindavo iš jų mikstūras bei meilės gėrimus."

Gražus gyvenimas

Cintija su svetimšaliais susitikdavo ir kitur, ne tik Romoje. Elegijose poetai neretai aprašo tas privilegijuotųjų lankomas vietas, baimindamiesi, kad ir jų meilužė ten neišvyktų. Viena iš tokių vietų, kur buvo gera gyventi, – Bajai. Gyvenimą Bajuose vertino ir filosofai. Lukrecijus primygtinai patarė romėnams gyvenime kiek įmanoma labiau sekti Epikūru. Reikia naudotis gyvenimu, kol nevėlu, – toks buvo jų šūkis. Šią mintį perims Plejados poetai.

Ciceronas būtų sutikęs su Propercijaus ir Katulo požiūriu. Jis ne be pagrindo teigė, kad visi pajūrio miestai teršė valdžios institucijų reputaciją bei smukdė moralę. Kaip ir daugelis žmonių, vasarą Cintija vykdavo į Tibūrą, Prenestą ar Tuskulą. Žiemą jai labiau patiko Tarente ir Bajuose. Dieną ji ilsėdavosi, o naktį išeidavo iš namų ir plaukiodavo Bajų įlankoje gėlėmis išpuoštu laiveliu, panašiu į Kleopatros laivą, kuriuo plaukti aukštyn Nilu karalienė kvietė Cezarį ar Antonijų. Irklai buvo iš perlamutro, valties pirmagalys – iš brangiųjų metalų.

Prabangiame laive Cintija ištisas valandas valgydavo ir juokaudavo su draugais. Kartais kurtizanės laivu plaukiodavo sutartą laiką, kaip Naukratijoje. VI satyroje Juvenalis tapo apgailėtiną šių kurortų paveikslą.

„Saugojo mat lotynes kažkada jų dalia nelaiminga/nuo ištvirkimo. Maži jų nameliai neleido klestėti/ydoms ir darbas sunkus, trumputis poilsis, rankos,/šiurkščios nuo vilnos etruskiškos, ir Hanibalas,/jau priartėjęs visai prie Romos, ir bokštą ant kalno/saugoję vyrai... Taikos ilgalaikės mes kenčiame blogį/Romoj nūnai, nes žiauriau net už karą mus novija turtai,/keršija jie atkakliai už pasaulį mūsų pamintą./Skurdui išnykus mieste, sukilo niekšystės ir aistros,/į iškvėpintas kalvas atplūdo Miletas ir Rodas,/Sibaris, dar be to, vainikuotas ir girtas Tarentas./Svetimus papročius mums pinigai nešvarūs atplukdė,/amžių sudarkė visai, pritraukę prabangą šlykščią,/turtai didžiausi, juk nieks neberūpi girtai Venerai! (...) Mano gerieji draugai, girdžiu patarimą nenaują:/„Saugoki, velkę užsklęsk!" Bet kas gi sargus išsaugos?!/Elgias žmona apdairiai ir pradeda viską nuo sargo..."*

Nepakenčiamos moterys

Cintija nesunkiai būtų supratusi, kad Juvenalio, kurio kūriniai darėsi vis kandesni, VI satyra skirta ir jai. Poetas nepuola iš meilės besikankinančių merginų ar prostitučių. Jis smerkia matronas, ištekėjusias moteris ir tas, kurios anksčiau elgėsi oriai ir kilniai. Argi romėnai ne kvailiai, kad šitaip trokšta santuokos? Ar Propercijus būtų laimingesnis su Cintija, jeigu ją vestų? Ar manytų, kad ji užkibo ant jo kabliuko?

* Juvenalis. Satyros. Vilnius, 1983, p. 48, 50. Iš lotynų kalbos vertė Aleksandra Bendoriūtė.

Juvenalis teigia, kad nė viena moteris nėra dorovinga. Net toli nuo miestų, atokiausiuose kaimuose žmonos tapo kurtizanėmis. Vis dėlto Propercijus džiaugiasi, kad Cintija išvyko į kaimą. Jis mano, kad jam nebegresia konkurentai.

Juvenalio požiūris dar kritiškesnis: visos moterys tapo klastingos, valdingos, savanaudės, melagės, nedoros ir nepakenčiamos. Jas lengvai suvilioja aktoriai, mimai, menininkai. Visas moteris traukte traukia bohemiškas gyvenimas bei talentas. Pavyzdžiui, Epija savo vyrą senatorių iškeitė į seną ir bjaurų gladiatorių. Juvenalis mini ir imperatorienę Mesaliną, Klaudijaus žmoną, kuri iš rūmų vykdavo į viešnamį ir ten ištvirkaudavo. Iš tikrųjų gali būti, kad blogai pagarsėjusiomis Romos gatvėmis vaikštinėdavo kokia nors į imperatorienę panaši ir ja apsimetanti prostitutė. Vis dėlto imperatoriaus žmona turėjo nekokią reputaciją, ir ambicingas atleistinis, pranešęs Klaudijui, kiek ji turi meilužių, ją pražudė.

Vyrai nesipriešindavo įkyrioms žmonoms, trokštančioms gražių baldų ir papuošalų. Jos kalbėdavo graikiškai, kad neatsiliktų nuo mados, ir krėsdavo didžiausias kvailystes: kartais jų meilužiais būdavo net eunuchai! Kitoms labiau patiko dainininkai. Buvo ir tokių, kurios neatsiplėšdavo nuo veidrodžio ir despotiškai elgdavosi su tarnais. Daugelis moterų tikėjo prietarais ir tardavosi su aiškiaregėmis. Tokios moterys buvo smulkmeniškos, aikštingos, išpuikusios, kvailos, nenorėjo turėti vaikų. O jeigu jų turėjo, kuo įžūliausiai meluodavo savo vyrui, kad jis yra vaikų tėvas.

Anytos išardydavo šeimas, nes buvo tokios pat nepakenčiamos kaip ir jų marčios. Moterys žentų gyvenimą paversdavo pragaru, o kartais juos net nužudydavo.

„Išlaidi moteris nesirūpina tirpte tirpstančiais pinigais ir be perstojo gimdo vaikus. Kai trūksta pinigų, ji nemano, kad tai jos kaltė, ir visai nesigraužia. Nė vienuose namuose nerasite padorių žmonių... Tegul jau moterys geriau dainuoja nei susideda su savo vyrų draugais. Bendraudamos su karvedžiais, jos nejaučia nei gėdos, nei baimės."

Viešnamių vis daugėjo. Dažniausiai jie įsikurdavo netoli cirkų, pirčių, miesto vartų ir amfiteatrų. Visi vyrai troško ten pabuvoti. Pasak Horacijaus, valstiečiai apgailestavo, kad negyvena mieste ir negali dažniau lankytis viešnamiuose. Daugiausia klientų prisivilioti, be abejo, buvo galima ten, kur keliautojai keisdavo mulus ir sustodavo pailsėti. Tokiose užeigose keliauninkai gerdavo, valgydavo dešreles ir medaus pyragaičius, žaisdavo kauliukais arba, prieš leisdamiesi į kelią, užlipdavo į antrą aukštą pasismaginti su viena iš užeigos merginų.

Ant tokių viešnamių fasadų buvo skelbiamos kainos už moteris ir maistą, – keletas tokių pavyzdžių rasta Pompėjuose. Kartais tokiose smuklėse parsidavinėdavo pati šeimininkė ar smuklininko žmona.

Neretai iš Sirijos kilusi užeigos šeimininkė, susuktus plaukus papuošusi turbanu, dažnai apgirtusi, koketuodama patarnaudavo klientams ir kartais geidulingai šokdavo, skambant muzikai. Įrašai sienose skelbė merginų privalumus. Taigi kabaretų prostitutės teikė dvejopas paslaugas, kaip ir pirtyse dirbančios merginos.

Įrašai, randami ant Pompėjų namų sienų, – apie juos kartais užsimena Marcialis ar Katulas, – byloja apie muštynes tarp varžovų ar kai kurių turtuolių meilę paprastoms kurtizanėms. Viešnamius nesunkiai galėjai atpažinti iš falo pavidalo plaktukėlio, kuriuo klientai belsdavo į duris. Propercijus vietomis užsimena, kad jam mieliau bendrauti su Oronto merginomis, nei veltui laukti Cintijos. Sirijos prostitučių kambariai dažniausiai buvo vienodi: demblys ir antklodė ant grindų, mažas staliukas šalia ąsočio, kurį, vienam klientui išėjus ir laukiant kito, jaunas vergas pripildydavo vandens. *Ornatrix** moteriai paduodavo kosmetikos ir tepalų.

* Lot. *ornatrix* – vergė, kambarinė.

VI

VISAI KAIP KURTIZANĖ

Bajai

Nors Cintija elgėsi beveik kaip prostitutė ir turėjo gausybę meilužių, gali būti, kad ji buvo laisvoji moteris – nei vergė, nei atleistinė.

„Kad Bajai prasmegtų, – rašo Propercijus, – nes tai vieta, pražudanti meilę!"

Ir priduria:

„Korinte prie Laidės durų dūsaudavo mažiau vyrų nei prie Cintijos."

Propercijus nekenčia sutenerių, tų nelaimės pranašų, išardančių tobulas santuokas. Jie išveda iš kelio pačius rimčiausius vedusius vyrus. Jie ruošia įvairias mikstūras ir pasibjaurėtinus meilės gėrimus, siekdami apžavėti pačius išmintingiausius vyrus. Jie griebiasi įvairiausių gudrybių, kad tik išviliotų pinigus iš padorių žmonių. Jie nusamdo visokias taides ir sugeba apmulkinti getus, nors šios genties vagys garsėja gudrumu ir sumanumu.

Propercijus neapkentė tokių sutenerių kaip Akantidė: jos durys buvo atviros kariams, svetimšaliams ir jūreiviams, jeigu tik šie turėdavo pinigų. Akantidė nepajėgė suprasti įsimylėjusio poeto ir net neskaitė jo eilių.

„Tegul ant jos užvirsta figmedis, tebūna ji palaidota senoje amforoje! – rašo Propercijus IV elegijoje. – Te visi įsimylėjėliai trypia jos kapą ir apmėto jį akmenimis! Tegul jie prakeikia tą kapą!"

Panašiai skundėsi ir poetas Katulas, kai jo lengvabūdė Lesbija keitė meilužius vieną po kito. Lesbija priklausė nepaprastai ištvirkusių aristokratų sluoksniui, todėl Katulas irgi smerkė tuos, kurie lankydavosi viešnamiuose ir viliodavo visas moteris:

„Manote, kad tik jūs sugebate suvilioti moteris? Tokių kvailų laukiančių romėnų – vienas ar pora šimtų." Tačiau jau Katulo laikais visi aristokratai turėjo *scortillum**, puotaudavusią kartu ir įsitraukdavusią į pokalbį.

Visi elegijų kūrėjai svajojo apie ramų gyvenimą kaime. Tibulas labiau troško ten gyventi su Delija, o ne išvykti kartu su Mesala. Nors buvo ištekėjusi, Delija, kaip ir Cintija, gyveno panašiai kaip atleistinės, besivaikančios prabangos ir malonumų bei mėgstančios turtingų meilužių draugiją. Matydamas, kad Delija linksminasi su kitais meilužiais, Tibulas paguodos ieškojo jaunų vaikinų draugijoje. Nors buvo puikus poetas, meilėje jam nesisekė: meilužiai ir meilužės jį palikdavo. Kadangi Tibulas negalėjo Delijai suteikti visko, ko ji troško, ši parsidavinėjo ir turėjo sutenerę. Visai kaip hetera, ji siekė turtingų meilužių globos. Todėl Tibulas irgi pyksta ant sutenerių:

„Tegul vieną dieną ji sužino, kas yra badas, ir ėda kapinių žolę ar graužia kaulus. Tegul šaukdama nuoga bėga per miestą, o šunys telipa jai ant kulnų! Tada aš būsiu laimingas. Tikiu, kad dievai išklauso poetus."

---

* Lot. *scortillum* – ištvirkėlė, pasileidėlė.

Nors Tibulas galų gale vėl ėmė bendrauti su Delija, jis teigia, kad ji tėra kurtizanė, kurią, kaip ir kitas, vilioja marmuras ir gyvenimas kaime, toli nuo Romos karščio ir tvaiko. Ji troško pokylių, aukso, vergų iš Etiopijos, plonytėlaičių retų audinių, Tyro purpuro, perregimų Koso audeklų, lengvų drabužių, kurie, pasak Plinijaus (*Gamtos mokslas*, II, 76), panėšėtų į voratinklius!

Kai pinigų neturintis poetas tikėdavosi praleisiąs meilės naktį, sutenerė atšaudavo, kad Delijai skauda galvą.

Delija, kaip ir kitos moterys, mėgo mūvėti perukus, pagamintus Marso lauke iš kokios nors kalinės plaukų. Perukai kainavo labai brangiai. Todėl, jeigu norėjo jais puoštis, Delijai reikėjo turtingesnių už Tibulą meilužių. Ji taip pat troško aštrių rytietiškų kvepalų, kokiais kvėpindavosi prostitutės iš Sirijos, dirbančios prie Didžiojo cirko. Galbūt Delija panėšėjo į moteris, kurias gladiatoriai nusisamdydavo vienai nakčiai, tačiau ji dėl to visai nesijaudino. Ar ji buvo pasiryžusi nuvykti į vieną iš keturiasdešimt penkių Romos viešnamių ir laukti kliento priešais paprasčiausia užuolaida atitverto kambario?

Delija ryždavosi daugeliui dalykų, kad tik gautų pinigų. Ji nesibaimino nei Romoje paplitusių venerinių ligų, nei šiurkščių ar pernelyg reiklių meilužių. Visi poetai pateikdavo tuos pačius argumentus. Tačiau ir jie patys neatsisakydavo pasivaikščioti Suburos gatvėmis. Propercijus pats prisipažino, kad jį labai traukia Gado šokėjos, kurios siūbuodamos klubais vaikštinėdavo, laukdamos kliento. Marcialiui jos atrodė tokios erotiškos, kad viliote viliojo atsiduoti meilei.

„Moterys stebėdavo Gado (dabartinio Kadžio) šokėjas kartu su savo vyrais... Tie šokiai man nepatinka. Tos kastanjetės, tie žodžiai, kokių net nuoga vergė savo viešnamyje neištartų, tie nešvankūs šūksniai, tos linksmybės vilioja vyrus, kurie paskui vemia ant lakedaimonietiškų mozaikų." (XI satyra, žr. nuo 162 eilutės)

Propercijaus kerštas

Trokšdamas atkeršyti Cintijai, besilinksminusiai Lanuvijuje su ištvirkėliu, ant kurio kūno nebuvo palikta nė plaukelio, Propercijus ėmė namuose kelti orgijas:

„Kadangi ji paniekino mano lovą, panorau išvykti ir išbandyti naują patalą. Tokia Filidė gyvena ant Aventino kalno netoli Dianos šventyklos. Būdama blaivi, ji nelabai patraukli. Bet kai išgeria, su viskuo sutinka. Kita moteris, Tėja, gyvena Kapitolijaus miške. Kai ji girta, vieno vyro jai neužtenka. Nusprendžiau šiąnakt jas pasikviesti. Gulėjome nuošaliame kampelyje ant žolės pastatytoje lovoje visi trys – aš tarp jų... Liejosi graikiškas Metimno vynas. Egiptietis grojo fleita, Filidė – kastanjetėmis. Iš palubės krito rožės... Bet veltui jos dainavo, aš jų negirdėjau. Jos rodė man savo krūtis, o aš buvau aklas. Buvau niekur kitur, tik Lanuvijuje. Staiga atsidarė durys. Pasirodė įtūžusi Cintija palaidais plaukais. Tėja labai išsigando. Abi moterys suplėšytais rūbais ir išsidraikiusiais plaukais puolė lauk... Cintija laimėjo. Ji smogė man į burną ir akis."

Tada Cintija iškėlė savo sąlygas. Jei Propercijus nori atleidimo, turi paklusti jos norams. Poetas nusileido. Cintija tarnams liepė išvalyti kambarį, Propercijui – persirengti ir ištrynė jo galvą siera. Paskui jiedu atsigulė į lovą ir susitaikė.

Liūdna tikrovė

Visi poetai savo meilužes lygino su mėlynplaukėmis frigėmis, sėdinčiomis ant aukštų kėdučių ir laukiančiomis klientų, su sirėmis, dėvinčiomis perregimas tunikas, puoštas paauksuotais kutais, ir žvanginančiomis savo papuošalus, su vergėmis, kurioms tarp krūtų būdavo pritvirtintas užrašas apie jų specializaciją. Tačiau komedijoje *Kartaginietis* Plautas aprašo liūdną tikrovę, visai nepanašią į Lesbijos ar Cintijos gyvenimą:

„Tos merginos laukia klientų, išsikvėpinusios pigiais kvepalais. Jos atsiduoda viešnamiu ir tinka tik vergams. Jos ištisas valandas sėdi ant kėdžių ir niekada nesuviliojo laisvojo vyro. Tai tik prostitutės, vertos vos poros asių.*"

Romėnų aristokratai puolė į tokius kraštutinumus, kad užsigeidė kovoti arenoje kaip gladiatoriai, vaidinti scenoje kaip aktoriai ir parsidavinėti. I amžiuje Romos senatas paskelbė aukščiausiąjį nutarimą, smerkiantį kai kurių raitelių ir senatorių elgesį. Tačiau tai nesutrukdė imperatoriui Neronui dalyvauti vežimų lenktynėse cirko arenoje. Be to, manydamas esąs geras poetas, jis troško prilygti dainininkams ir dalyvaudavo menininkų varžybose. O konsulas Plaucijus Lateranas garsėjo pomėgiu lankytis viešnamiuose.

Aštuntoje satyroje Juvenalis teigia, kad šis Cezario legatas lankydavosi smuklėje, kur ūžaudavo kartu su žmogžudžiais, jūreiviais, budeliais, vagimis, pabėgusiais vergais ir karstų pardavėjais. *Satyrikone* atskleidžiamos ir kitos negerovės. Pavyzdžiui, sužinome, kad turtingų romėnų namuose būdavo tamsus kambarėlis, kuriame jie priiminėdavo žemiausiai smuku-

---

* Asis – smulkus varinis romėnų pinigas.

sias Suburos moteris. Kaip sakė Seneka, mėgautis skurdu buvo viena iš turtuolių pramogų. Neretai labai įtakingi romėnai laiką leisdavo ne savo prabangioje viloje, o atgrasiausiose, prirūkytose ir purvinose smuklėse.

Blogą pavyzdį rodydavo garsiausi karvedžiai ir patys imperatoriai. Dažnai jų žmonos mėgaudavosi ištvirkavimu. Imperatorius Augustas skundėsi vedęs nepakenčiamą moterį. Su Skribonija jis netgi išsiskyrė, teigdamas, kad bodisi jos pernelyg dideliu pasileidimu ir smerkia jos nedorą elgesį. Jos dukra ir anūkė buvo ne ką geresnės! Jas irgi teko ištremti už tai, kad teršė imperatoriaus šeimos garbę!

Toks elgesys būtų patikęs daugeliui moralės saugotojų, jei tik imperatorius pats nebūtų elgęsis neleistinai. Antonijus jam priekaištavo už tai, kad iš vergų pirklio perka moteris ir jas išrengęs apžiūrinėja. Skribonija būtų galėjusi savo vyrui atšauti:

– Pati tau parūpinau jaunų nepaprasto grožio merginų, kad galėtum su jomis pasilinksminti. Juk visi žino, kad tau patinka jaunutės mergaitės ir kad tavo aistra – atimti joms nekaltybę.

Ar šie pasakojimai – tiesa, ar kokio nors Augusto varžovo pramanai? Šiaip ar taip, pernelyg daug imperatorių elgėsi nederamai ir kūrė nekokią nuomonę apie romėnus. Tiberijus taip pat skundėsi mieste karaliaujančia paleistuvyste. Visos matronos parsidavinėjo! Reikėjo imtis griežtų priemonių ir bausmių. Sužinojęs, kad viena moteris apgaudinėja vyrą su savo žentu, apgautajam vyrui Tiberijus patarė išsiskirti, net jeigu šis ir buvo prisiekęs niekada to nedaryti.

Svetonijus pateikia pikantiškų detalių apie smukusią moralę. Suvaržymų nepripažįstančios matronos, pamėgusios palaidą gyvenimą, atsisakydavo savo teisių ir statuso. Jų gera reputacija buvo galutinai prarasta. Todėl dėl meilės jos galėjo netekti ir viso kito! Siekdamos išvengti griežtos bausmės, kai kurios nedvejodamos pasiskelbdavo kurtizanėmis!

Pasileidėliai, trokštantys pasirodyti teatre ar cirke, mielai dėvintys gladiatoriaus apdarą ar aktoriaus togą, buvo pasirengę viskam, kad tik patenkintų savo aistrą ir išvengtų teismo. Siekdamas įtikti žmonėms ir parodyti gerą pavyzdį, Tiberijus nusprendė tokius žmones ištremti. Jis nebuvo naivus ir suvokė, ką rinktųsi romėnai, todėl uždraudė tokį elgesį. Atsisakyti statuso ar palikti vyrą tapo ne taip paprasta! Ne kiekviena ištekėjusi moteris galėjo pasiskelbti kurtizane!

Nors Tiberijaus sprendimai buvo tokie pat griežti kaip ir Augusto, jis pats buvo tipiškas pasileidėlis. Jį supo didžiausi ištvirkėliai. Pokyliuose jam patarnaudavo tik nuogos moterys. Kapryje, kur Tiberijus mėgo ilsėtis, jo įsakymu buvo įrengti specialūs kambariai, ten vykdavo didžiausios orgijos. Sestijus Galas, irgi užkietėjęs paleistuvis, jam duodavo patarimų ir naujų pasiūlymų, su kuriais jis mielai sutikdavo.

„Kapryje jauni, iš visų kraštų suvažiavę pasileidėliai ir prostitutės Tiberijaus akivaizdoje atsiduodavo malonumui, sudarydami grandinę. Šios pasibjaurėtinos scenos sužadindavo prigesusį Tiberijaus geismą. Sienos buvo ištapytos erotiniais paveikslais. Erotinės skulptūros kurstė kurtizanių geismingumą. Tiberijui telikdavo nurodyti pageidaujamas pozas. Jam taip pat patiko miškuose ir šileliuose įrengti slaptas vieteles, kur nimfos ir miškų dvasios ištvirkaudamos garbindavo Venerą." (Svetonijus, XLIII)

Šie nuostabą keliantys pasakojimai panašūs į pateikiamus Tacito *Analuose*.

Imperatoriai suteneriai

Imperatorius Kaligula buvo dar didesnis ištvirkėlis. Rūmuose jo įsakymu buvo įrengtas specialus kambarys. Ten jis priiminėdavo moteris, versdavo jas parsidavinėti ir greitai tapo tikru suteneriu. Architektui jis liepė kelias menes padalyti į kambarius, kuriuose apgyvendino keletą kurtizanių. Panašiai namai buvo suskirstomi Suburos kvartale. Tačiau, užuot laikęsis įstatymų, Kaligula versdavo parsidavinėti ištekėjusias ir laisvąsias moteris bei vaikus, kilusius iš kilmingų šeimų. Kai kurios moterys buvo ištekėjusios už turtingų ir įtakingų vyrų. Tokio pasirinkimo klientai dar nebuvo regėję. Todėl Kaligula manė, kad klientai turi sumokėti labai brangiai, tuo labiau kad malonumais mėgausis ypatingoje, nepaprasto grožio vietoje. Koks skirtumas, palyginti su purvinais Suburos ar Transtevero kambarėliais!

Kaligulos žmonės šias paslaugas siūlydavo pagrindinėje aikštėje, šventyklose ir visuomeniniuose pastatuose, kad priviliotų kuo daugiau klientų.

– Jums neužtenka pinigų? Šis malonumas jums nepasiekiamas? Palūkininkai paskolins jums tiek pinigų, kiek tik reikia! Imperatoriaus agentai gali paskolinti jums pinigų su mažomis palūkanomis! Visada yra išeitis! – kartodavo uolūs Kaligulos tarnai, siekdami padidinti imperatoriaus turtą.

Agentai greitai prirašydavo pilnas lenteles būsimųjų klientų vardų. Šie džiaugdavosi, kad ne tik praleis nepakartojamą vakarą, bet dar ir jų vardai bus iškabinti ant rūmų durų, – juk tai didžiausia garbė!

– Jūs tapsite valdžios geradariai! – šaukė Kaligulos agentai, keldami aplinkinių pavydą.

Neronas turėjo tokių pačių ydų kaip ir Kaligula. Nuo pat jaunumės jis buvo ištvirkęs. Iš pradžių Suburoje jis lankėsi paslapčia, bet paskui savo elgesio nebesigėdijo ir nebesislapstė. Svetonijus kūrinyje *Dvylikos Cezarių gyvenimas* ir Tacitas *Analuose* pasakoja, kad Neronas persirengęs naktį išsmukdavo iš rūmų ir keliaudavo į Romos prostitučių kvartalus. Neronui patiko vaidinimai. Jis mėgo teatrą, manė esąs puikus aktorius, jam patiko persirenginėjimai ir visokios išdaigos. Originalus, kūrybingas, artistiškas Neronas lankydavosi viešnamiuose ir deklamuodavo eiles scenoje.

Neroną lydėdavo būrys persirengusių sargybinių, kurie jo įsakymu kartais užpuldavo jaunus valkatas. Jis samdydavo prostitutes, sukeldavo muštynes. Rūmuose Neronas rengdavo ilgai trunkančius pokylius. Susėdę prie stalo vidurdienį, svečiai valgomąjį palikdavo ne anksčiau kaip vidurnaktį. Marso lauke ar Didžiajame cirke Neroną supdavo kurtizanės ir fleitininkės.

Kai Neronas plaukdavo Tiberiu ar vykdavo į Bajus, jį kviesdavo šimtai moterų. Tai buvo ne profesionalios prostitutės, o kurtizanėmis tapusios matronos, žinojusios, kaip aistringai imperatorius mėgsta uždraustus žaidimus.

Istorikai pasakoja keistų istorijų. Patenkinęs geismą, Neronas įsakydavo prie stulpų pririšti vyrus ir moteris, paskui apsigobdavo laukinio žvėries kailiu. Jis ištrūkdavo iš narvo ir puldavo prie belaisvių lytinių organų, o paskui atsiduodavo ištvirkusiam atleistiniui Doriforui.

Prostitutės privalėjo mylėtis žmonių pilname cirke pačiais iškreipčiausiais būdais. Verčiamos santykiauti su gyvūnais, rizikuodamos savo gyvybe, jos turėjo vykdyti pačius beprotiškiausius Neroną linksminančius sumanymus. Pasakojama, kad cirko žaidynėms Neronas išsirinko labiausiai jam patikusią moterį. Jis liepė ją apgobti jaučio oda ir įsakė jai pademonstruoti Kretos karalienės Pasifajės ir Minotauro meilės sceną. Romėnai puolė į cirką pažiūrėti neįprasto reginio. Visi suolai buvo nusėsti; šią sceną, labai nemalonią Nerono išrinktai kurtizanei, stebėjo šimtas tūkstančių žiūrovų. Tačiau ar dar reikia stebėtis tokiais sumanymais? Juk istorikai mini, kaip pavojingai žemai buvo smukusi to meto žmonių moralė.

VII

NAUJI MALONUMAI

Nežabota imperatorių laisvė

Grįžę iš Bajų, kurtizanės ir *otium* trokštantys romėnai ilgėdavosi gyvenimo kurorte. Todėl kartais Romoje jie keldavo vakarėlius, panašius į vykdavusius Bajuose. Kai kurių romėnų užgaidos buvo dar didesnės. Tigelinas, pretorijaus prefektas, iškėlė neapsakomai prašmatnią puotą. Marso lauką jis pavertė ežeru ir paleido į jį dideles baržas, kuriose stovėjo svečių sofos. Maži auksu ir sidabru išpuošti laiveliai plukdė svečius į baržas, o juos irklavo įvairiausioms linksmybėms pasirengę vyrai. Aplink ežerą buvo įrengti keli viešnamiai, priešais kuriuos kurtizanės, matronos ir visai jaunos mergaitės stovėjo gašliomis pozomis. Neturėjusieji pakankamai pinigų galėjo jų pasiskolinti ir nusisamdyti vieną ar kitą moterį. Nė viena neturėjo teisės atsisakyti, pasakoja Tacitas. Ši orgija parodė, kaip žemai buvo smukusi visuomenė.

Trokšdami pasisekimo, visi menininkai sutikdavo parsidavinėti ar tenkinti Nerono užgaidas. Nerono įpėdiniai elgėsi ne geriau. Vitelijus, buvęs pataikūniškas Tiberijaus favoritas, mėgo aktorių ir vežimų lenktynininkų draugiją. Jis netgi versdavo savo dvariškius ir atleistinius parsidavinėti. Jei kas bandydavo pabėgti, juos sugaudavo ir vėl priversdavo paklusti savo užgaidoms.

Domicianas kasdienę mankštą atlikdavo lovoje, nes manė, jog meilė būtina sveikatai. Jis pasirinkdavo labiausiai ištvirkusias kurtizanes, pašalindavo nuo jų kūno visus plaukelius, kartu plaukiodavo. Nerva ir Trajanas palankiai žiūrėjo į homoseksualumą ir toleravo netoli karinių stovyklų apsigyvenančias moteris. Kai kurios sekdavo paskui romėnų kariuomenę, kaip kadaise haremai lydėjo Persijos ir Egipto karalius. Didžiausią ir gražiausią haremą, be abejo, turėjo Komodas. Kurtizanės ir jaunikaičiai šimtais plūdo į viešnamius, kuriuos jis buvo įrengęs savo vilose.

Pasileidusios matronos

Matronos oficialiai kreipdavosi į teismą, prašydamos pripažinti jas kurtizanėmis. Taip pasielgė Tabėjo sutuoktinė, dėl to jis susilaukė priekaištų, kad nesugeba prižiūrėti žmonos. Kaip Vistilija, prokonsulo žmona, drįso visų senatorių akivaizdoje atsisakyti savo padėties ir pasiskelbti kurtizane? Šią tais laikais tipišką istoriją papasakojo Tacitas II *Analų* knygoje. Tačiau, be šio nuostabą keliančio atvejo, buvo ir daugiau matronų paleistuvystės pavyzdžių.

Popėja Vyresnioji garsėjo įspūdingu meilužių skaičiumi. Kaligulos laikais valdytojas Sabinas žmoną pasiimdavo su savimi į kaimą ir skolindavo ją savo karvedžiams. Kariuomenėje homoseksualumas buvo toleruojamas. Karvedžiai reikalavo tik vieno – vyresnysis karininkas neturėjo teisės atlikti moters vaidmens, santykiaudamas su paprastu kareiviu!

Cintijai nebuvo ko pavydėti kitoms moterims. Visos jos aplinkos romėnės elgėsi kaip ji. I amžiuje pr. Kr. Ciceronas užsipuolė ištvirkėlę Klodiją, savo soduose įsteigusią keletą viešnamių. Kadangi jos namas stovėjo ant Tiberio kranto, pro šalį valtimis plaukiantiems vyrams tereikėjo sustoti, ir jie galėjo mėgautis namų šeimininkės teikiamais malonumais. Kaip Ciceronas rašo kalboje *Už Celijų* (XIII, 32), Klodijai atrodė geriau būti visų vyrų drauge nei vieno prieše! Jeigu Katulas iš tikrųjų mylėjo Klodiją, kurią vadina Lesbija, tai poetas tikrai turėjo kuo skųstis. Koks neįprastas elgesys ir kokie keisti papročiai, dūsavo Seneka.

„Nors Julijos tėvas Augustas priėmė įsakymus, smerkiančius svetimavimą, ji kiauras naktis linksmindavosi su šimtais meilužių ir girtuoklių, kurie šlaistydavosi gatvėmis, Forume ir palei oratorių tribūną. Julija ten keldavo orgijas, o su meilužiais susitikinėdavo prie Marsijo statulos. Kadaise buvusi ištikima ir padori, ji manė, kad, nutarusi būti kurtizane, gali atsiduoti kam tik panorėjusi.“

Ar galima tikėti Marcialiu, *Epigramose* išdrįsusiu kritikuoti garsiąją Cinos šeimą? Cinos žmona pagimdė keletą vaikų, tačiau visi jie buvo pradėti ant purvinų demblių. Tų vaikų tėvas netgi nebuvo koks nors draugas ar kaimynas. Vyriausias sūnus, turintis garbanotus plaukus ir maurams būdingą tamsią odą, panėšėjo į virėją Santrą. Antrasis, stambia nosimi ir storomis lūpomis, buvo panašus į garsų imtynininką. Trečiasis turėjo kepėjo bruožų, o ketvirtasis, išblyškęs ir moteriškų judesių, greičiausiai buvo Cinos meilužio sūnus. Viena Cinos duktė, sprendžiant iš išorės, buvo pradėta su Cinos nusamdytu fleitininku, o kita – su vienu iš jo ekonomų.

„Kiek daug vaikų turėtum, jei kiti tavo vergai nebūtų eunuchai!“ – nusišaipo Marcialis.

Patraukliosios kurtizanės

Nuo Respublikos pabaigos iki I amžiaus romėnės buvo nepaprastai savarankiškos. Laisvalaikį jos leisdavo su vyrais, net lankydavosi pirtyse, kur jas nuogas masažuodavo. Jos didžiavosi įgijusios tokias pat teises bei laisvę kaip kurtizanės ir visai nenorėjo jų prarasti. Propercijus eilėse pasakoja, kaip Cintija atsikrato valdingo meilužio ir pabėga nuo jo, vos tik jis pabando primesti savo valią. Ji mieliau skaitydavo Romoje pardavinėjamus erotinių pozų vadovėlius nei Propercijaus meilės poeziją.

Knygų apie erotiką vis daugėjo. Graikų kalba buvo išleistas Astijanaso traktatas, taip pat Ovidijaus ir Elefančio raštai. Buvo žinomos ne vien tik Astijanaso erotinės pozos, kurias Filėnidė Samietė buvo visas išbandžiusi; Paksanas parašė *Dodekatechnoną*, kuriame, kaip matyti iš pavadinimo, pateikė dvylika pozų. Imperatorienė Mesalina jas žinojo taip pat gerai kaip ir paties autoriaus meilužė.

Nors Juvenalis su džiaugsmu kaltina Mesaliną, tvirtindamas, kad ji parsidavinėjo ir jai niekada nebuvo gana, jos vyras Klaudijus irgi mėgo kurtizanes, kurias jam parinkdavo Mesalina. Tos merginos buvo gražios ir kvailos. Jos buvo kilusios iš Tyro, Aleksandrijos, Antiochijos. Merginų amžius vis jaunėjo. Kažin ar tais laikais kurtizanės nebuvo patrauklesnės už tokias moteris kaip Cintija?

Terencijus ir Titas Livijus kūriniuose piešia jaudinantį kurtizanių paveikslą, prieš kurį nublanksta ištekėjusių moterų paleistuvystė. Tokios kurtizanės – tai Bakchidė, karštai mylinti jauną romėną ir iš meilės nesutinkanti elgtis nedorai; už paprastą prostitutę daug kilnesnė Hispala, bandanti išgelbėti savo mylimojo gyvybę Eleusino misterijų metu; Terencijaus herojė Taidė, kuri atsisako kurtizanės amato ir išteka už mylimo vyro.

Kurtizanės įsimylėdavo ir atsisakydavo nutraukti santykius su savo mylimuoju, net jeigu šis ketindavo vesti, o *lenae* joms kartodavo, kad kurtizanė – kaip miestas: klesti tik tada, kai turi daug lankytojų. *Parazite* vaizduojama, kaip Fedroma pamilsta vieną vyrą, bet *leno* ją parduoda kareiviui. Galų gale ji atgauna laisvę ir gali ištekėti už mylimo vyro, o *leno* tenka atlyginti klientui. Pjesių autoriai dažnai stoja ginti kurtizanių. Taigi kurtizanės pamažu nustelbė lengvabūdes žmonas, kurias žmonės smerkė ir niekino tarsi paprasčiausias verges.

Epochos simbolis

Kaip ir daugelis moterų, Cintija didžiavosi sulaužiusi senuosius šeimos įsakymus. Griežtumas ir santūrumas Romoje nebebuvo vertinama. Kurtizanės, atleistinės moterys skatino manieringų romėnų geidulingumą ir meno pomėgį, kuriuo pasižymėjo ir Italijoje gyvenantys graikai. Romėnų tikslas buvo nebe karas, o malonumų kupinas gyvenimas.

Cintija gali būti laikoma didelius pokyčius išgyvenančios visuomenės simboliu. Plauto laikais dėl Rytų ir graikų estetikos bei meno įtakos, prabangos ir malonumų pomėgio, ryškaus individualizmo sustiprėjimo kurtizanės tapo įtakingos ir vertinamos. Į jas panašios moterys, kaip Cintija, buvo populiarios, mylimos ir neapkenčiamos dėl pernelyg didelio savarankiškumo.

Ne visiems rašytojams patiko tokie visuomenės pokyčiai. Kai kurie jautė nostalgiją griežtesniems ir santūresniems laikams. Buvo rašytojų, kaip Saliustijus I amžiuje, kurie nesitaikstė su

smukusia morale. Tokie elegijų kūrėjai kaip Propercijus, Ti-
bulas ar Katulas išaukštino meilę ir pasmerkė neištikimas mei-
lužes.

Krikščionių autoriai kartais perdėtai vaizduoja šį paleistu-
vystės laikotarpį. Jų teigimu, romėnai tapo dykaduoniais, ku-
riems terūpi išgerti ir pavalgyti. Roma – tai didelė Prostitutė,
su kuria gulėjo visi žemės karaliai. Ji apsvaigino žmones savo
nedorybėmis. Tokį požiūrį stiprino į priešybes ir beprotiškus
poelgius linkę skandalingo elgesio imperatoriai, kurių pomė-
giai kėlė nuostabą. Prie blogos Romos reputacijos prisidėjo ir
tokios moterys kaip Cintija.

Cintija ir Propercijus

Elegijos, meilės skundo, žanras leido Propercijui išsakyti, kaip
stipriai jis mylėjo Cintiją. Netrukus jis pasijuto nelaimingas, o
jų meilei iškilo grėsmė. Nors Cintija jį išdavė, įsimylėjėlis liko
ištikimas. Jis ėmė skųstis ir priekaištauti Cintijai, paskui išvy-
ko iš Romos. Jam arčiau prie širdies buvo ramus gyvenimas
kaime. Net mirtis jam atrodė nebaisi, jeigu tik Cintija jį ap-
raudotų.

Propercijus nuolatos baiminosi, kad Cintija susitikinėja su
kitais vyrais. Kodėl ji vaikšto gatvėmis, pasidariusi šukuoseną,
apsigobusi plonytėlaičiu Koso audeklu, plaukus išsikvėpinusi
rytietiškais kvepalais, nors turėtų puoselėti savo natūralų jau-
nystės grožį? „Meilei nereikia dirbtinių puošmenų", – kūri-
niuose be perstojo kartojo poetas. Kai moteris trokšta patikti
tik vienam vyrui, sakė Propercijus, jai nereikia puoštis, ypač
neapsakomai žavingai Cintijai, kuri turi viską, kas prilygsta
Venerai. Propercijus jai patarė šalintis niekingos prabangos.

Kaskart, kai Cintija išvykdavo į Bajus, jos mylimasis skųs-
davosi ir baimindavosi blogiausio:

„Greičiau! Palik Bajus ir jo gėdingas pakrantes! Tame mo-
terų dorybingumui pavojingame mieste susijungė daug porų!
Kad Bajai sugriūtų! Kad jie prasmegtų, nes šis miestas – nusi-
kaltimas meilei!"

Nors Cintija, atrodo, mylėjo Propercijų, ji visai nesiskubino
išvykti iš Bajų. Mecenatas Propercijui patarė ją užmiršti. Ta-
čiau šis to padaryti nepajėgė ir toliau aukštino Cintijos priva-
lumus:

„Jos grožis, jos odos spalva, šviesi lyg lelijų... Jos madingos
šukuosenos, plaukai, bangomis krintantys ant balto it marmu-
ras kaklo, jos lyg žvaigždės spindinčios akys, jos arabiški rūbai
mane sužavėjo, bet labiausiai man patinka jos grakštumas, kai
ji šoka, baigiantis pokyliui, jos dainavimas, kai ji pritaria sau,
plektru braukydama per stygas... ir jos eilės, kai ji varžosi su
poete Korina iš Tanagros... Dėl Cintijos grožio Achilas būtų
miręs, o Priamas pradėjęs karą..."

Visi romėnai sužinojo apie Cintijos neištikimybę. Properci-
jus net pasiūlė išgraviruoti šiuos žodžius: „Cintija graži, bet
lengvabūdė", kad pakenktų savo meilužei. Jis be perstojo prie-
kaištavo Cintijai už palaidą elgesį.

„Nė vienos nakties nemiegojai viena, lengvabūde! Gėrei su
savo meilužiais, ir galbūt visi iš manęs šaipėtės..."

Kartais Propercijus atgaudavo blaivų protą, bet netrukus ir
vėl įsimylėdavo. Vis dėlto meilė pamažu virto neapykanta, kai
jis suprato, kad Cintiją vilioja tik pinigai.

„Cintijai nerūpi garbė. Ją domina tik meilužių pinigai... Pir-
masis ją užkalbinęs už pinigus jos meilę nusiperka lyg prekę.
Nėra nieko gėdingesnio už parsidavinėjančią moterį! Turėčiau
jai dovanoti vandenyne sužvejotus perlus, Tyro audeklus... No-

rėčiau, kad visus tavo gautus drabužius ir brangakmenius nu-
sineštų vėjo gūsis!"

Kartais Cintija būdavo pavydi. Todėl Propercijus kartoja,
kad yra ištikimas, nors iš kai kurių eilėraščių matyti, kad pats
buvo aistringas moterų mylėtojas. Per išgertuves jis mielai ben-
draudavo su kurtizanėmis. Nors Propercijus klausė Mecenato
ir kūrė eiles džiaugsmingesnėmis temomis, jis vis tiek nesilio-
vė kalbėti apie savo meilę Cintijai ir lygino ją su deive. Poetas
buvo pasiryžęs naktį susitikti su meiluže Tibūre, nepaisyda-
mas pavojų.

Galų gale vilties netekęs Propercijus atkeršijo, priminda-
mas Cintijai, kad ji ne visada bus jauna ir graži.

„Pajusk metų naštą! Tavo grožį sugadins raukšlės; norėsi
rautis žilus plaukus... Tave niekins! O tu skųsiesi, nes su tavimi
elgsis taip, kaip šiandieną tu elgiesi su kitais. Vieną dieną tu
pasensi! Tavo grožis nuvys. Pamąstyk apie tai ir bijok tos die-
nos!"

Tačiau labiausiai Propercijus kritikavo romėnų visuomenę
ir smukusią moralę:

„Atvėrėme duris prabangai. Visi trokšta kasyklose išgauna-
mo aukso, Raudonosios jūros kriauklių, iš Tyro sraigių gami-
namo purpuro, Arabijos kvepalų... Bet niekas nebesilanko
šventosiose giraitėse, visi apleido šventyklas. Pamaldumas din-
go. Žmonėms rūpi tik auksas. Auksas sunaikino sąžiningumą.
Auksas nupirko teisingumą ir įstatymą. Nebėra padorumo!"

Juvenalis teigė, kad geriau būti pernelyg padoriam negu kil-
mingam ir nedorovingam. Romoje, kur klestėjo nusikalstamu-
mas, stūksojo griuvėsiai, siautėjo gaisrai, epidemijos, badas,
radosi vis daugiau spekuliantų, intrigantų, melagių, veidmai-
nių ir apgavikų, o turtuolių galia vis didėjo.

PRIEDAI

SVARBIAUSIOS DATOS

753 m. pr. Kr.	Romos įkūrimas.
733 m. pr. Kr.	Sirakūzai tampa Korinto kolonija.
VII amžius	Vystosi etruskų miestai.
VII amžiaus vidurys	Iš Korinto išvaromi Bakchidai. Periandro tironija.
Apie 626	Nabopalasaras išlaisvina Babiloną iš asirų.
600–590	Pirmasis Šventasis karas.
616–509	Romą valdo Tarkvinijai.
594–593	Solono reformos Atėnuose: – įsakymai mokykloms ir gimnasijams, siekiant kovoti su laisvųjų jaunuolių prostitucija, – tėvai nebeturi teisės verstis savo vaikų prostitucija, – tėvai turi teisę atsižadėti prostitucija besiverčiančio vaiko, – prostitucija užsiiminėjantis oratorius ar politikas baudžiamas mirties bausme, – leidžiama steigti viešnamius, siekiant išsaugoti tvirtas šeimas.
VII–VI amžiai	Pitakas dešimt metų valdo Mitilėnę. Jis siekė kovoti su paleistuvyste. Sapfo jam pasipriešino ir buvo ištremta.
VI amžius	Korinto klestėjimas.
VI amžiaus vidurys	Atėnai aplenkia Korintą keramikos gamyba.
568–525	Egiptą valdant Amasiui, vystosi Naukratija.
586	Tironijos žlugimas Korinte.
582	Pirmosios Pitinės žaidynės Delfuose.

Apie 580	Nabuchodonosaro pabėgimas iš Babilono.
570	Miršta Sapfo?
561–560	Peisistratas, Atėnų tironas.
560–546	Kroisas, Lidijos karalius.
Apie 539	Kyras užkariauja Babiloną.
530	Kambisas, persų karalius.
527	Hiparchas ir Hipijas, Atėnų tironai.
522–486	Darėjas, persų karalius.
509	Monarchijos pabaiga Romoje.
491–490	Pirmasis Medų karas.
490	Maratono mūšis.
486	Kserksas, persų karalius.
481–478	Antrasis Medų karas.
449–447	Antrasis Šventasis karas.
434–387	Korintas tampa 338 metais sudarytos Graikijos miestų sąjungos centru.
429	Miršta Periklis.
427	Gimsta Platonas.
411	400 taryba.
405–367	Dionisijas, Sirakūzų tironas.
404–403	30 tironų valdymas Atėnuose.
387	Platonas įkuria Akademiją.
390	Galai padega Romą.
384	Gimsta Aristotelis ir Demostenas.
367	Miršta Dionisijas Vyresnysis. Sirakūzuose valdžią perima Dionisijas Jaunesnysis.
359–336	Filipas, Makedonijos karalius.
356	Trečiasis Šventasis karas.
356–323	Aleksandras Didysis.
352	Filipas įsitvirtina Tesalijoje.
347	Miršta Platonas.
340	Ketvirtasis Šventasis karas.

III amžius	Aleksandrijos klestėjimas.
264–241	Pirmasis Pūnų karas.
218–201	Antrasis Pūnų karas.
Apie 190–159	Terencijus.
186	Bakchanalijų teismas.
149–146	Trečiasis Pūnų karas.
146	Romėnai sugriauna Korintą.
88	Sula tampa konsulu.
63	Ciceronas tampa konsulu.
60	Pirmasis triumviratas: Krasas, Pompėjus, Cezaris.
31	Aktijo mūšis.
31 pr. Kr.–68 po Kr.	Imperatoriai Julijai–Klaudijai.
27 pr. Kr.–14 po Kr.	Augusto valdymas.
27 po Kr.	Tiberijus pasitraukia į Kaprį.
37–41	Kaligulos valdymas.
41–54	Klaudijaus valdymas.
54–68	Nerono valdymas.
69	Pilietinis karas. Miršta Galba, Otonas, Vitelijus.
69–96	Flavijai.
69–79	Vespasiano valdymas.
79–81	Tito valdymas.
81–96	Domiciano valdymas.
96–192	Antoninai.
96–98	Nervos valdymas. Jį pakeičia Trajanas.
117–138	Hadrianas.
193–235	Severai.
211–217	Karakalos valdymas.
218–222	Elagabalas.
306	Konstantino valdymas.
379	Pagonybės pabaiga Romos imperijoje.

ŽODYNĖLIS

Adonis: Afroditės meilužis, kurio garbei buvo švenčiamos Adonijos.

Alkibiadas: Klinijo sūnus, Sokrato mokinys. Gimė maždaug 450 metais pr. Kr. Šis palaido elgesio aristokratas inspiravo Sicilijos žygį. Puikus strategas. Apkaltintas Eleusino misterijų parodijavimu, turėjo pasitraukti į Spartą. Sukurstė Joniją prieš Atėnus. Pergalingai grįžo į Atėnus, tačiau po kelių nesėkmių vėl turėjo bėgti. Jį nužudė 30 tironų.

Antonijus (82–30 pr. Kr.): Vienas iš 43 metais sudaryto triumvirato narių. Paskirtas valdyti Rytus, vedė Oktaviano seserį Oktaviją. Buvo Kleopatros meilužis. Nusižudė Egipte po Aktijo mūšio, kuriame jį sumušė Oktavianas.

Apelis: Efese gimęs dailininkas, gyveno Aleksandro Didžiojo dvare.

Atleistinis: Į laisvę paleistas vergas. Toks žmogus galėjo turėti vaikų, kurie tapdavo visateisiais Romos piliečiais. Jis likdavo pavaldus savo buvusiam šeimininkui, „patronui".

Ciceronas (106–43 pr. Kr.): Kilęs iš raitelių luomui priklausančios šeimos. Pasimokęs pas Molą Rodietį, Ciceronas tapo oratoriumi. Sėkmingai pasipriešino Sulai ir, būdamas puikus advokatas, sužlugdė Katilinos sąmokslą. Triumvirato nariai nuo jo nusigręžė. Būdamas konsulas, grįžo į Romą ir 51 metais buvo paskirtas Kilikijos valdytoju. Palaikė Oktavianą. Buvo paskelbtas už įstatymo ribų ir nužudytas.

Demostenas (gimė 338 pr. Kr.): Oratorius ir politikas. Rašė kalbas prieš Filipą, *Filipikas*, ir prieš įžymius priešininkus. Apkaltintas dalyvavimu viename nešvariame reikale, buvo ištremtas ir į šalį grįžo po Aleksandro mirties. Nusižudė.

Diogenas (413–323 pr. Kr.): Graikų filosofas, kinikas.

Eleusino misterijos: Pasak legendos, Demetra išmokė Eleusino gyventojus dirbti žemę, atsidėkodama už tai, kad padėjo surasti Hado, požemio pasaulio dievo, pagrobtą dukterį. Misterijomis buvo siekiama padėti sielai tapti amžinai. Už maždaug dvidešimties kilometrų nuo Atėnų įkurtą šventyklą nusiaubė Kserksas, 430 metais pr. Kr. – spartiečiai, paskui gotai, o galutinai sugriovė krikščionys V amžiuje.

Horacijus (65–8 pr. Kr.): Atleistinio sūnus, mokėsi Romoje ir Atėnuose. Dalyvavo kautynėse prie Filipų (42 pr. Kr.), paskui tapo kanceliarijos darbuotoju ir pradėjo rašyti satyras. Mecenatas jam padovanojo dvarą, o Augustas norėjo padaryti savo padėjėju.

Juvenalis (65–128 po Kr.): Oratorius, maždaug 100 satyrų autorius. Jose kritikuoja savo laikų moralę.

Katonas (234–249 pr. Kr.): Pretorius, konsulas, cenzorius, žemakilmis senatorius. Katonas gynė moralę ir smerkė Graikijos įtaką. Parašė sentencijų ir laiškų rinkinį.

Katulas (87–54 pr. Kr.): Mokėsi Romoje. 116 eilėraščių apdainavo savo meilę Lesbijai, kurios prototipu laikoma Klodija.

Marcialis (40–104): Išgarsėjo, parašęs *Epigramas*. Mokėsi Romoje, draugavo su Kvintilianu, Juvenaliu ir Plinijumi Jaunesniuoju. Mirė Ispanijoje, iš kur ir buvo kilęs.

Ovidijus (43 pr. Kr.–17 po Kr.): Romėnų poetas. Kilęs iš raitelių luomui priklausančios šeimos, studijavo teisę, rašė erotinius eilėraščius. Bendravo su Propercijumi, Horacijumi, Tibulu. Įkvėpimo sėmėsi iš Aleksandrijos poezijos. Garsiausi kūriniai – *Meilės menas* ir *Meilės elegijos*.

Patronas: Duodavo pinigų klientams, kuriuos kasdien priimdavo atrijuje. Klientai savo ruožtu gynė politinius savo patrono interesus. II amžiuje plebėjai panašiai buvo susieti su kilmingaisiais.

Plautas (254–184 pr. Kr.): Gimė Umbrijoje, mokėsi graikų kalbos, įsikūrė Romoje, kur praturtėjo, dirbdamas teatre. Ėmęsis jūrų prekybos, prarado visą turtą, todėl pradėjo kurti komedijas ir išgarsėjo. Sukūrė 130 pjesių.

Sikionas: Miestas netoli Korinto.

Solonas (gimė apie 640 pr. Kr.): Graikų poetas ir įstatymų leidėjas. Praturtėjo, versdamasis prekyba. Vienas iš septynių išminčių.

Svetonijus (75–160): Plinijaus Jaunesniojo globotinis, imperatoriaus Hadriano sekretorius. Parašė *Dvylikos Cezarių gyvenimą.*

Tacitas (55–120): Kilęs iš raitelių luomo, tapo konsulu, vėliau Azijos prokonsulu. Parašė istorinį veikalą, kuriame apžvelgia laikotarpį nuo Augusto iki Domiciano.

Terencijus (190–159 pr. Kr.): Į laisvę paleistas vergas, artimas Scipiono šeimos draugas. Greitai išgarsėjo kaip komedijų autorius.

Tibulas (50–19 pr. Kr.): Kilęs iš raitelių luomo. Gavęs puikų išsilavinimą, dirbo pas konsulą Korviną, su kuriuo išvyko į Rytus. Susirgęs nusprendė atsidėti poezijai.

Titas Livijus (64 arba 59 pr. Kr.–17 po Kr.): Gimė Patavijuje, gyveno Romoje ir čia parašė Romos istoriją.

Trisdešimt tironų: Oligarchų grupelė, užvaldžiusi Atėnus po spartiatų pergalės 404 metais pr. Kr. Šių aristrokratų valdžią kitais metais nuvertė demokratai ir Trasibulas.

Zeuksidas (V–VI amžiai pr. Kr.): Garsus Heraklėjoje gimęs dailininkas. Jo natūralistiniai paveikslai Graikijoje susilaukė didžiulio pasisekimo.

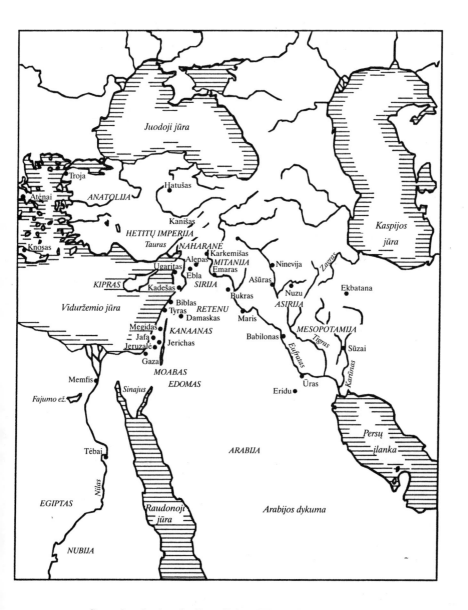

Senosios Artimųjų Rytų šalys (XV amžius pr. Kr.)

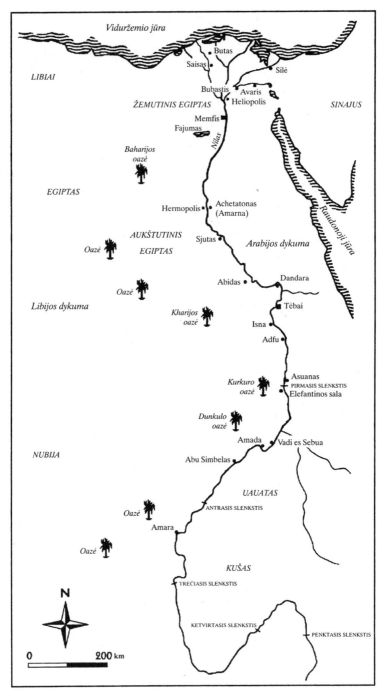

Egiptas ir Nubija

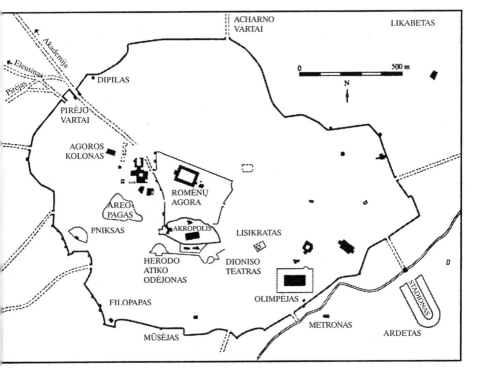

Atėnų planas

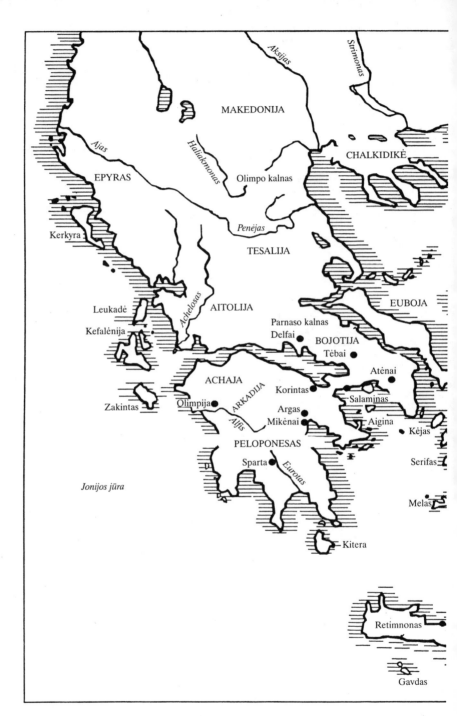

Senovės Graikija ir Azija

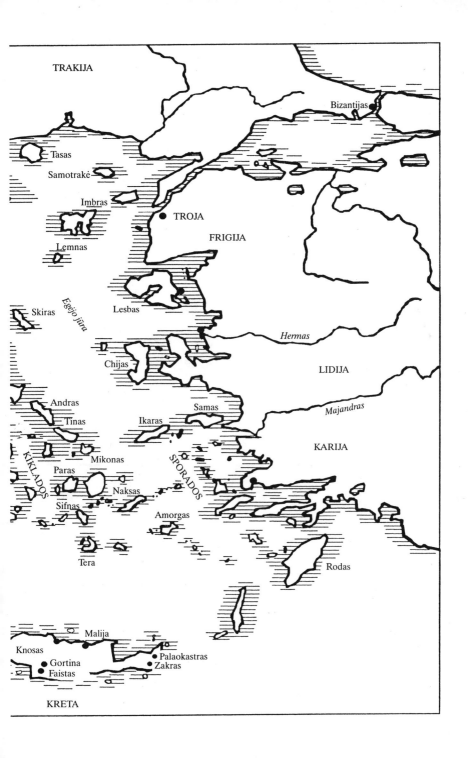

Roméniškoji Italija
(su šiuolaikinių miestų pavadinimais)

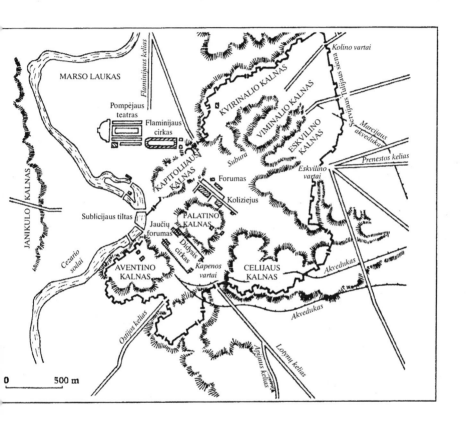

Romos planas

Turinys

EGIPTIETĖ RODOPIDĖ

LAIDĖ, „GRAIKŲ BIČIULĖ"

ROMĖNĖ CINTIJA

PRIEDAI

Vanoyeke, Violaine
Va266   Meilės tarnaitės Egipte, Graikijoje ir Romoje / Violaine
Vanoyeke ; iš prancūzų kalbos vertė Lina Perkauskytė. – Vilnius :
Tyto alba, 2004. – 247[1] p.

ISBN 9986-16-378-1

Žymios kalbininkės, egiptologės, helenistės, lotynistės, senųjų civilizacijų
ir literatūrų specialistės Violaine Vanoyeke (g. 1956) knygos, pasakojančios
apie senovės žmonių gyvenimą bei papročius, populiarios visame pasaulyje.
Daugiau nei keturiasdešimt jos veikalų išleisti keturiasdešimtyje šalių.
„Meilės tarnaitės Egipte, Graikijoje ir Romoje" pasakoja apie garsių to
meto kurtizanių gyvenimą, atskleidžia tūkstantmetes gundymo, grožio ir
malonaus gyvenimo paslaptis, kvepalų bei magijos galią, naudingas augalų
savybes. Autorė remiasi senaisiais rankraščiais ir įrašais Egipto kapų
sienose.

UDK 392+316.6+176](3)

VIOLAINE VANOYEKE

MEILĖS TARNAITĖS EGIPTE, GRAIKIJOJE IR ROMOJE

Iš prancūzų kalbos vertė *Lina Perkauskytė*
Viršelio dailininkė *Ilona Kukenytė*
Viršelyje panaudotas *Lawrence'o Alma-Tadema* paveikslo fragmentas

SL 1686. 2004 10 20. 8,30 apsk. l. l. Užsakymas 121
Išleido „Tyto alba", J. Jasinskio 10, LT-01112 Vilnius, tel./faks. 2497453, tytoalba@taide.lt
Spausdino UAB „Vilniaus spauda", Viršuliškių skg. 80, LT-05131 Vilnius